ちくま新書

# 世界哲学史2

## ――古代Ⅱ　世界哲学の成立と展開


伊藤邦武／山内志朗
Ito Kunitake　Yamauchi Shiro
中島隆博／納富信留　責任編集
Nakajima Takahiro　Notomi Noburu



JN042491



1461

# 世界哲学史2——古代Ⅱ 世界哲学の成立と展開【目次】

# はじめに

納富信留

「哲学史」は、これまで西洋、つまりギリシア・ローマから現代のヨーロッパと北アメリカまでの範囲だけを対象とし、そこから外れる地域や伝統を枠外に置いてきた。つまり「哲学（フィロソフィー）」は西洋哲学を指すと理解され、インドや中国やイスラームといった有力な哲学の諸伝統も「思想」という名で区別されてきた。それ以外の地域、例えば、ラテン・アメリカ、ロシア、アフリカ、東南アジア、日本などが考慮されることはほとんどなかった。

しかし、現在私たちが生きる世界は西洋文明の枠を超え、多様な価値観や伝統が交錯しつつ一体をなす新たな時代を迎えている。今日、環境や宇宙の問題など、地球さえ超える規模の発想が必要となっている。あらためて「世界」という視野から哲学の歴史を眺めると、古代文明における諸哲学の誕生、世界帝国の発展と諸伝統の形成、近代社会と近代科学の成立、世界の一体化と紛争をへて、さらにその後へという流れが見えてくる。私たちはその大きな「世界」のうちで生きている。

「世界哲学（World Philosophy）」は単に諸地域の哲学的営為を寄せ集めるものではなく、哲学という場において「世界」を問い、「世界」という視野から哲学そのものを問い直す試みである。そこでは、人類・地球といった大きな視野と、過去・現在・未来という時間の流れから、私たちの伝統と人間知性の可能性が再検討される。アジアの一部にありながら西洋文明をとりいれて独自の文化を築いてきた日本から、「世界哲学史」を考えて発信することは、世界の哲学において大きな役割を果たすはずである。

本シリーズ「世界哲学史」は古代から現代までを全八巻で鳥瞰し、時代を特徴づける主題から諸伝統を同時代的に見ていく。それらの間には、中間地帯や相互影響があり、科学や宗教や経済との関連も考慮に入れると、これまで顧みられなかった知のダイナミックな動きが再現される。世界で展開された哲学の伝統や動きを全体として検討することで、現在私たちがどこに立っているか、将来どうあるべきかへのヒントが得られるはずである。

人類に「哲学」と呼ばれるいくつかの動きが生まれたとされる紀元前八世紀から前二世紀までの時代を扱った第1巻「知恵から愛知へ」を受けて、本巻「世界哲学の成立と展開」では前一世紀から後六世紀という範囲を、善悪と超越をテーマに見ていく。人類の知の営みを新たな視野から再構築すること、それが「世界哲学史」の試みである。

第1章

# 哲学の世界化と制度・伝統

納富信留

## 1　古代とは何か

### †古代の諸哲学

本シリーズ第1巻で扱ったように、古代世界のいくつかの地域で同時並行的に哲学の動きが登場したのが、紀元前八〇〇年頃から前一〇〇年頃にかけてのことであった。中国とインドでは古代文明の中から新たな思想や宗教が誕生して、儒教と仏教を始めとする潮流の起点となった。メソポタミアからエジプトにわたる古代文明は数千年にわたって社会と文化を繁栄させてきたが、その周縁部で興ったギリシアの文明は、哲学と科学という新たな知のあり方を生むことで、さまざまな発展の礎となった。私たち二一世紀に生きる人間は、二千数百年を遡る「古代」に起こったこの劇的な変化に人類の哲学の原点を見ている。

だが、中国の諸子百家にせよ、ギリシアの初期哲学にせよ、インドのウパニシャッド、ジャイナ教、仏教にせよ、多彩な思考が登場した思想状況は、その時代では割拠し競合する状態にとどまり、どれかが圧倒的な影響力を揮《ふる》ったり、確固とした基盤を築くに至ったりはしていない。その意味でこの時代の諸思想は、いわば可能態にあり、その整理と本格的な展開はのちの時代に委ねられた。言い換えると、この時代に芽生えて花開いた諸哲学は、そのままでは今日に受け継がれる世界哲学になっていない。それらの思索を練り上げて後世に受け継ぐ伝統（トラディション）を形作っていったのは、それに続く時代、中国では漢代以降、ヨーロッパではローマ時代であった。本巻はその状況を検討していく。

## †古代と古典

ここで重要な視点は、私たちが「古代」と見なす時代の位置づけである。それは、たんに古い時代という意味――それだけではおそらく否定的な含意しか持たない――ではなく、「古典」として特別な価値と役割を担うという意味での古代である。

まず、「古代」とは、現代から見た相対的な時期区分にすぎず、その時代をまとまりにする客観的な出来事があったわけではない。世界史でも使われる「古代、中世、近代、現代」――「中世、近代」の間に「近世」を置く場合もある――は、西洋文明の展開に即して考案された時代区分である。歴史叙述の便宜であり、現代から相対的に測られる距離にすぎない。具体的に、西洋哲学の「古代」は、前六世紀初めのタレスから後六世紀前半のキリスト教による異教学校の閉鎖まで、一〇〇〇年にも及ぶ時代である。その間にそれぞれ異なる背景のもとで多様な哲学・思想が展開されたことを考えると、この期間を「西洋古代哲学」と括る乱暴さに気づく。他方、ギリシア語とギリシア文化に基盤をもちキリスト教に拠らない、つまり「異教の」哲学を一まとまりで扱うことに意味もある。私たちはそうして哲学史を区分して特徴づけることで、初めて人類の知的営みの全体像を見渡すことができるからである。

他方で、ヨーロッパと並ぶ中国とインドでは、西洋哲学史の四区分のような明確な時代区分を立てないことが多い。そこには、思想の段階的発展図式が有効な西洋哲学と比べて、時代ごとの特徴や変化がそれほど顕著ではないという事情がある。中国哲学史、インド哲学史ではしばしば学派別の解説や王朝ごとの整理がなされ、西洋哲学史とある程度の対応は見られるにしても、「哲学史」の描き方、捉え方自体が異なっている（中国哲学史の区分については、第五章1を参照）。私たちが学ぶ西洋哲学史も、一八世紀半ばにブルッカー（一六九六〜一七七〇）が成立させた哲学史であり、とりわけヘーゲル（一七七〇〜一八三一）の哲学史の影響は絶大である。

「古代（ancient）」は時期を画する中立的な呼び名であるが、「古典（classic）」という語には一定の価値が込められる。古典には、古い時代に成立した優れた文化で、それを模倣することが推奨されるという含意があるからである。つまり、たんなる時代区分ではなく、見本とすべき一流のものとの共通了解が「古典」という呼称を作ってきたのである。西洋では「古典古代」とはギリシア・ローマの文明を指し、それを扱う「古典学」という学問は、近代ヨーロッパで最高の教養、人間性の涵養として重要視されていた。

では、誰が、いつ、どのような基準と意図で「古典」を設定したのか。これは、近年様々な分野で見直しが起こっている「カノン」の成立という問題に関わる。「古典」を定めるのは、各時代のイデオロギーや文化状況であり、「カノン」はそれらの複雑な絡みにおいて影響を揮ってきたのである。

西洋哲学で古典と呼ばれる不動の位置を保ってきたのは、前四世紀のプラトンとアリストテレスの二人であるが、その権威はローマ時代にはすでに確立しており、それゆえに彼らの著作が特別に良好な状態で伝承されてきた。他方、ギリシア・ローマの古典は、哲学に限らず文学・歴史・芸術・建築・政治・法律など文化全般にわたり西洋文明の基礎となったのである。

## †古代から見た古代

「古代」とは、誰がどう見たものか。私たちにとって十分に古代である古典期ギリシアは、人類の歴史においては必ずしも最古の文明ではなく、エジプトやメソポタミアの先進文明との距離でいうと、私たちと彼らほども時代が離れていた。『ギルガメシュ叙事詩』の主人公でウルク第一王朝の王とされるギルガメシュは、前二六〇〇年頃の人物と推定されている。前八〇〇年頃にホメロスが歌ったトロイ戦争は、前一三～前一二世紀頃に起こった出来事とされる。ギルガメシュは、それからさらに千数百年を遡ることになる。

タレスが哲学を始めた前六世紀前半にエジプトで栄えていたのは第二六王朝（前六六四～前五二五年）で、ナイル河口三角州のサイスを首都としていた。ギリシア人にとって圧倒的な文化格差があったアルカイック期は言うまでもなく、古典期の人々にとっても、そこにははるか「古代」から続く文明があったのである。哲学が展開された前六世紀から前四世紀の人々にとって、ピラミッドで有名なクフは二〇〇〇年以上前の王であった。

一つの話を紹介しよう。プラトン後期の対話篇『ティマイオス』『クリティアス』で語られる有名な「アトランティス物語」には、エジプトが登場する。登場人物クリティアスは祖父クリティアスから伝え聞いたソロン（前六三〇頃～前五六〇頃）の話という昔語りの形式で、「古代アテナイ」が大国アトランティスを退けた偉業を語るが、その伝聞の源がエジプトなのである。

アテナイというポリスが行ったもっとも偉大で有名な行為は、「時間の流れとそれを成した人々が滅びたゆえに、その言論がここまで時を経なかった」（『ティマイオス』二一D）。彼らの偉業はソロンがエジプトを訪問した際に、サイスの都の神官たちから聞いたものである。ソロンは彼らから古《いにしえ》のことを聞き出そうと意図して、アテナイに伝えられる最も古い出来事を神話から語り、そこからの系譜と経た年数を思い出しながら話した。すると、一人の年取った神官が言った。

ソロンよ、ソロンよ、君たちギリシア人は常に子供だ。年取ったギリシア人はいないのだ。

（プラトン『ティマイオス』二二B）

ここで「若い」といわれるのは精神においてであり、それは昔からの教え、年配の学識を持っていないからである。大火や洪水などで人類は多くの滅亡を経験してきたが、大地が灼熱に焼かれた時にもナイル川のほとりのエジプトは救われ、洪水によっても滅びることはなかった。それゆえエジプトでは最も古いものが保存されて残っている。エジプトでは「全てが文字で書き残され、神殿に保存されている」（二三A）。だが、アテナイなど他の地域では、長い年月の間に疫病や災害が文明を滅ぼし、文字と学芸を持たない人たちを残した。

その結果、再び初めから、君たちは若者のように生まれている。この地のことも君たちの所のことも、昔の時代にあった限りのことについて、何の知も持っていない。（同二三B）

ギリシア人が信じている長い歴史は、子供の物語より多少ましな程度だという。そういう前置きを語った後で、エジプトの神官は、大昔のアテナイの偉業をアテナイから来たソロンに語って聞かせるのである。その内容は、無論、プラトンの創作である。

## †古代から語る哲学史

神官がサイスの創建とした八〇〇〇年前という数字は、私たちから見てはるか古代のギリシア人たちにとって、さらにはるか「古代」の文明がエジプトの地にあり、自分たちの歴史がまだ子供にすぎないという自覚を表す。この古代感覚は、すでにローマ時代には古代ギリシア人への眼差しに変わっている。さらに、ルネサンスが再発見した「古代」、一九世紀ドイツが追い求めた理想の「古代」のように、古代文明はそれぞれの時代に、つねに新しく蘇ってきたのである。

同時に、エジプト人神官にギリシア人を「若い」と呼ばせた時、それはギリシアに興った文明がつねに新しさ、つまり何かを生み出す始まりに位置するという、プラトンの自負があった。そこで生まれた言説が書き物として記録され、伝承され、それに注解が施されることで新たな歴史が始まったからである。古代ギリシアで成立した哲学は、そのような自覚された「新しい」知の営みとして、人類の歴史に登場したのである。

中国の尚古思想や仏教の末法思想のように、古い時代こそが理想的で、時代が降るに従って人間と社会は衰退するという見方は、古代ギリシアにも存在した（ヘシオドス『仕事と日』の五時代神話など）。だが、哲学史は始まりからの発展として描かれる。

哲学史をどう書くかは、それぞれの文明のあり方と、人々が歴史に込めた意識を反映する。一九世紀に西洋哲学に出会った日本と中国の知識人たちは、古代ギリシアに匹敵する「哲学」を古代中国や古代インドに見出そうとした。諸子百家への注目や、初期仏典への回帰である。私たちはここでも、西洋哲学を一つの基準として、それをモデルに他の哲学を語らざるを得ないディレンマにある。古代ギリシアの基準は、「古代から語る」こと、つまり「始まり」に遡る哲学史を促してきた。

## 2　哲学と非哲学

### †合理性と宗教

では、そこで始まったとされる「哲学」とは何か。この問いは、反対に、何が「哲学ではない」として排除されてきたか、という問いから考察される。第1巻第6章で論じられたように、古代ギリシアに起こった出来事は、「詩から哲学へ」あるいは「神話（ミュートス）から論理（ロゴス）へ」の変化として理解されてきた。その標語がそのままでは受け入れられないとして、変化が、何かから何かへ、あるいは、何かではなく何か、という形で生じたことは確かであろう。その場合、否定的に乗り越えられ、排除される側に属するのは、伝統的に「詩」という語りにおいて「知恵」とされてきた神的な真理の言説であり、それに対抗して新たに導入されたのは、人間の言葉による探究であった。この限りで「哲学（フィロソフィア）」の成立とは、神々から人間へ、知恵から愛知へという形で表現されうる。

だが、そこで乗り越えられたとされる神的な知恵は、必ずしも哲学においてその後役割を果たさなくなったわけではなく、また、人間的な愛知が順調に発展を遂げたわけでもない。パルメニデスやエンペドクレスやルクレティウスは哲学の言説を伝統的な六脚韻の叙事詩で表し、神々につながる語りという性格を残した。また、合理性の権化とみなされてきたギリシア哲学・科学が、実は非合理の要素に満ちていることは、イギリスの古典学者E・R・ドッズが名著『ギリシャ人と非理性』（岩田靖夫・水野一訳、みすず書房：原著一九五一年）で示している。古代ギリシアで成立した「哲学」は、決して直線的な発展ではなく、多様な可能性を展開しつつ互いに対抗的に進展する多元性を特徴としていた。

哲学は合理性という観点からしばしば「宗教」と対比されるが、神や超越的な次元を論じないという意味では決してない。確かに、前六世紀の詩人哲学者クセノファネスは叙事詩などの伝統的な「神々」の語り方に厳しい批判を投げかけ、合理的な一神論に踏み出した。それを受けたプラトンやアリストテレスは、擬人的な多神教から離脱する哲学的な神概念を練り上げていった。ローマでは、エピクロス派の原子論に基づくルクレティウス『事物の本性について』が、従来の神々の語りを「迷信（superstitio）」を意味する「宗教（religio）」の語で批判した。この点だけ見ると、哲学が科学的で合理的な精神によって神話的世界観や宗教を乗り越えたと見えなくもない。だが、そこに登場する「イデア」（プラトン）や「不動の動者」（アリストテレス）や「宇宙・ロゴス」（ストア派）は新たな神的地平であり、神々を特殊な原子として遠ざけるエピクロス派にしても、新たな教えを導入した始祖エピクロスを神の如き哲学者として崇め、宗教結社のように共同生活を送ったのである。

哲学を宗教と対立する営み、あるいは神や超越に訴えない合理論とみなすことは歴史的にも間違っている。ローマ時代に始まり中世に興隆するキリスト教神学・哲学は、特定の宗教に基づきつつギリシア哲学を展開して総合的な知となった。イスラーム哲学も同様に『クルアーン』に則った哲学を発展させた。東アジアに目を向けても、インドの諸哲学は世界観と人生観を宿す宗教であり、実際に僧侶らが儀式を営みながら遂行する知であった。中国でも儒教や道教は宗教儀礼を伴い、それらを移入した日本でも、古来の神々から儒仏の信仰まで、哲学と宗教は一体として展開してきたのである。

科学や哲学を非宗教・脱宗教と見なしてきたのは、西洋近代の世俗化の動きであった（村上陽一郎『近代科学と聖俗革命』新曜社参照）。「世俗（セキュラー）」とは宗教的背景を脱した思考や生活や文化を意味するが、一八世紀フランスの啓蒙主義、一九世紀末ニーチェによるキリスト教批判、とりわけ「神は死んだ」の標語に込められた近代哲学の乗り越えは、西洋哲学全体に当てはまる特徴ではない。宗教と哲学の関係を問い直すことも、世界哲学の課題の一つである。

### †魔術とソフィスト

科学は合理性と重ねられ、宗教と対立する真理探究と見なされてきた。その見方を支える論理が、似非《えせ》科学を「魔術（マジック）」として排除する態度であった。

「マジック」の語源となった「マギコス」というギリシア語は、ペルシアの僧侶マゴスから派生した形容詞である。妖しい術や呪文で何かを引き起こすことは、いかがわしい行為であり、科学的精神から否定されるべき営みであった。だが、ジェフリー・ロイド（一九三三〜）の一連の研究が説得的に示したように、古代ギリシアにおいて「科学的」とされた医学者は、必ずしも患者の治療において他の民間医療、たとえば薬草医学や神殿医学と比べて優れた成果をあげたわけではない。むしろ素朴な理論に則って観察と診察を行うヒッポクラテス派の医者は、実際の治療において後れをとっていたようである。にもかかわらず、論争と経験を積み重ねることで「科学的」というプログラムに向かって着実に進んでいったギリシア医学は、ローマ時代のガレノス（一二九頃〜二〇〇頃）を介して西洋医学の基礎を築いた。

「哲学（フィロソフィア）」も同様の経緯を辿った。初期の哲学者が提示した「始源・原理（アルケー）」の諸理論は、観察や実証や論証によって導かれたものではなく、豊かな想像力と積極的な理論構築により形づくられた。万物の始原を「水、空気、無限、数」などと断定することは、現代から見れば荒唐無稽かもしれないが、荒削りな思考は論争をつうじて洗練され、発展への道を辿り、西洋哲学に至ったのである。

科学を打ち立てる対概念が「魔術」であったように、「哲学」を画定するためにプラトンが用いた対概念が「ソフィスト」であった。「ソフィスト」という語は、すくなくとも前五世紀の前半には「知者」とほぼ同義に使われる名詞であったが、プロタゴラスが自らの職業で名乗って以来、金銭をとって教育を行う職業人を指すようになった。だが、その時点ではこの名称への否定的な含意は定まっておらず、当時のギリシア人はソフィストたちの新たな思索に注目し、その刺激的な言説を模倣し賞賛していた。

状況が決定的に変わるのは、前三九九年にソクラテスがアテナイで告発され死刑になってからである。その罪状は「ポリスの信じる神々を信じず」という不敬神の疑いと、「若者を堕落させる」という教育責任からなっていたが、その両者はソフィストに対して漠然と加えられた批判であった。プラトンの『ソクラテスの弁明』が最初にその嫌疑を簡単に退けるように、ソクラテスは金銭をとる職業的教師ではなかったが、前五世紀後半の知的潮流をソフィスト思潮と呼ぶとすると彼もその中に位置していたことは間違いない。

ソクラテスに対して加え続けられた批判に対して、弟子たちが「ソクラテス文学」を執筆することで反論した際、プラトンがとった戦略は「哲学者ソクラテス」を他の「ソフィストたち」から截然と区別することで、後者を批判して前者を救済することであった。『プロタゴラス』や『ゴルギアス』を代表とする対話篇で、プラトンは両者を対照的に描くことで「哲学」を「非哲学」から区別していく。そこでは、ソフィストの主要な教育領域であった「弁論術（レートリケー）」が標的となり、哲学の正統な方法である「対話術・問答法（ディアレクティケー）」との明確な対比において前者の価値が否定される。

注意すべき点は、現代の私たちに自明とされる「哲学者、ソフィスト」の区別と対比が、ほぼプラトン一人が作り出したことである（納富信留『哲学の誕生』ちくま学芸文庫、補論参照）。残された文献から判断すると、ソクラテスの他の弟子たちはソクラテスを「哲学者」と性格づけて「ソフィスト」と対立させることはなかった。むしろ、アンティステネス、アリスティッポス、アイスキネスらは、ソフィストの影響を受けた弁論術の使い手でもあり、後二者は授業料をとって教えるソフィストを職業としていた。また、彼らの同時代、ゴルギアスの弟子筋で弁論術の教師であったアルキダマスやイソクラテス（前四三六頃〜前三三八）は、自分たちが哲学者であるとも自負していた。「哲学者、ソフィスト」という区別はプラトンが用いた独自の対立図式であるが、けっして一般に受け入れられてはいなかった。

「哲学者（フィロソフォス）」という概念の重視には、この語の由来にあるピュタゴラス派との関係がある。また、同時代で必ずしも共有されていなかった「哲学者、ソフィスト」の区別が根付くにあたっては、プラトン自身の影響力と共に、弟子のアリストテレスがこの区別に立って哲学を構築したことがある。二人の影響力のもとで、哲学は弁論術やソフィスト術といった非哲学との対比で、厳密で正統な知的探究という身分を確立したのである。

## †弁論術（レトリック）の伝統

プラトンの対比によって分裂する性格を背負った一人に、イソクラテスがいる。プラトンと同時期にアテナイに弁論術学校を開いていたこの有名なソフィスト・哲学者は（廣川洋一『イソクラテスの修辞学校』参照）、のちの伝統において弁論術の代表とされることで、哲学史から完全に排除されてきた。

イソクラテスは、プラトンによる「哲学」定義を意識してそれを覆《くつがえ》そうとした。クセノファネスやパルメニデスに由来する「真理（アレーテイア）」と「思い込み（ドクサ）」の区別を受け継いだプラトンは、真理に関わる「学知（エピステーメー）」を重視し、数学的諸学をつうじた教育プログラムを示しながら、人間が感覚や思い込みからいかに抜け出すかという「魂の向け変え」が「哲学」であると論じた。知識の対象であるイデアは不変で絶対的な実在であり、普遍性を特徴とする。これに対してイソクラテスは、数学などの理論的な知識は実践に役立たず、むしろ思慮をめぐらす健全な判断（ドクサ）こそが重要であると説いた（『アンティドシス』）。不変で普遍的な法則ではなく、その場に適った時宜が重要であり、その哲学を授けるのが弁論術の教育なのである。時代状況や個別性や偶然性を捨象しがちなプラトン的哲学ではなく、歴史において公共の実践を目指す哲学こそが、イソクラテスが対抗して打ち出した理念であった。

イソクラテスの哲学理念は、プラトンが主流となる西洋哲学の歴史においてつねに裏街道、あるいは影の存在となってきた。ローマではキケロ（前一〇六～前四三）が自らの「弁論家」という理念で哲学と弁論術を統合しようとしたが（『弁論家について』）、その後の歴史はキケロをも非独創的な折衷主義者として周縁に追いやってしまう。ルネサンスの人文主義はその弁論術を復活させ、イタリアのヴィーコ（一六六八～一七四四）やドイツのヘルダー（一七四四～一八〇三）らがその伝統を受け継ぐ。弁論術という「非哲学」の伝統は、プラトン以来の西洋哲学がそれを排除することで自らの定義を確保してきた、いわば「哲学者の影」をなす。それをいかに再評価するかが、現代の世界哲学の課題の一つである（納富信留『ソフィストとは誰か？』ちくま学芸文庫参照）。

レトリックを始めとする非哲学の伝統の見直しが世界哲学にとって重要なのは、狭義の「哲学（フィロソフィア）」の理念が、西洋の中心的な思想以外の諸伝統を排除する傾向にあるからである（第1巻第1章参照）。文学・修辞・歴史・教育・政治といった領域を広く哲学に含めて西洋以外の思想を捉えるために、西洋内部における他者である「弁論術」の吟味は決定的に重要となる。

## 3　学校と学派

### †書写と注釈の伝統

古代のある時期に誕生した多様な哲学も、以後二〇〇〇年以上にわたって受け継がれ、何らかの影響を与えないかぎり、哲学の歴史には組み込まれなかった。これは何よりも物理的な意味においてそうである。古代ギリシアでパピルス巻物などに書き残された著作は、長いあいだ書き写されて新たに残されない限り、摩耗や破損などによって読めなくなり、やがて消滅してしまった。思想には流行り廃りもあるが、読まれない著作は忘れられていく。反対に、単に読まれるだけでなく、カノンとして尊重され、その本に対して注釈が書かれた一部の著作は、さらに広く読まれて伝統を形づくっていく。西洋古代哲学では、プラトンとアリストテレスの著作がそれぞれ後一世紀と前一世紀に編纂され、ローマ時代に多くの注釈が著されたことが、二人の著作が他を圧する規模で残ってきた理由であろう。

哲学の著作が伝承され、研究の対象となるには、文献学（フィロロジー）との密接な連携が必要であった。ヘレニズム時代にはエジプトのアレクサンドリア図書館を拠点にホメロスなどの文献批判が始まっており、そこで成立した文献学が哲学を学問として成立させる基盤となる。

## †学校と学派の成立

思想は書物だけで受け継がれるわけではない。古代において成立した重要な機関は、学校（スコレー）であり、もう少し緩やかな形では学派であった。ギリシア文化史で一つの分水嶺は前五世紀から前四世紀への移行にあり、ソクラテスの死が象徴となる。

アテナイでは前三九〇年頃にイソクラテスが、前三八七年頃にプラトンがアカデメイアで学校を開き、イソクラテスの修辞学校は五〇年間にわたって生徒たちを教育し、プラトンも自ら四〇年ほどそこで教育研究活動を行ったのち、甥のスペウシッポス（前四一〇頃〜前三三九）が学園を引き継ぐ。プラトンの学園で二〇年ほど学んだアリストテレスも、遍歴時代の後でアテナイに戻り、前三三五年にリュケイオンの地に学校を開く。次の前三世紀には、サモスからアテナイに来たエピクロスが、アテナイ郊外に「庭園（ケーポス）」と呼ぶ邸宅を持ち、その学校でエピクロス哲学が栄える。これら哲学の学校は、哲学の研究と教育を集中的に行う場であるだけでなく、共同研究で成果や資料を蓄積して次世代に引き継ぐ文化的役割を果たした。

特定の施設を場とする学校ではないが、集団で思想や活動を共有し、師弟関係のもとで教えを継承していく「学派」もこの時期に成立する。ソクラテスの弟子たちが作ったキュレネ派、メガラ派、エリス派や、その流れを汲むとされるキュニコス（犬儒）派とストア派である。ディオゲネス・ラエルティオスの『ギリシア哲学者列伝』が示すように、西洋古代で哲学は系譜として成立していた。

分水嶺と言ったのは、前五世紀にはそのような特定の場所でまとまった教育を行うシステムができていなかったからである。ソフィストたちは各地を訪問して授業を行っていたが、一時的な滞在にすぎなかった。哲学が学校という形で制度化され、伝統を担う場が生まれたのが、前四世紀初めであった。

## †学園アカデメイア

プラトンが学園を開いた契機は二つあった。一つは、学園設立の前に旅行した南イタリアで知ったピュタゴラス派の共同体である（B・チェントローネ『ピュタゴラス派』岩波書店参照）。タラスを始めとする地域ではピュタゴラス派の人々の共同生活が営まれていたが、プラトンはそういった共生を哲学のあるべき姿と考え、共同食事や共同研究を見本として学園を構想したと考えられる。

もう一つの契機は、これまで何度も登場したソクラテスの刑死である。街のなかで所構わず人々と哲学の対話を行ったソクラテスは、問いかけた相手から憎まれただけでなく、取り巻いて見ていた人々にも誤解され、若者たちが不用意な真似を行うなどの問題を起こしてしまう。そうして哲学は反社会的な営みであるというレッテルを貼られてしまった。その営みを身近で見聞きしたプラトンは、日常生活の空間で自由に行う議論（パレーシアー）の危険性を十分に認識し、あえて哲学を行う空間を限ることで、その内部で自由な学問と哲学の言論がつねに可能である場を作り出したのであろう。学問の自由と自律という理念は、プラトンの学園をモデルにして中世ヨーロッパの大学から近現代の大学にまで脈々と受け継がれている。

プラトンの学園アカデメイアが実際にどのような環境と基盤をもち、そこでどのような教育が行われていたのかは推定に過ぎないが（廣川洋一『プラトンの学園アカデメイア』参照）、次のような様子が窺われる。アカデメイアでは授業料を取らなかった。入門は身分や性別を問わず、女性の成員もいた。特定の教育プログラムはなく、レヴェルに応じた議論や研究がなされた。プラトン自身はほとんど講義をしなかった。共同食事など共生を通じた哲学が目指された。現代で言えば、学校というより研究所に近い組織かもしれない。

学園の経済的・社会的基盤については不明な点も多いが、一九世紀後半にドイツの古典学者ヴィラモーヴィッツ＝メレンドルフ（一八四八〜一九三一）が「ティアソス」という説を提案した。ティアソスとは、アテナイで公的に認可される宗教結社であり、認定された団体には法的な保護や経済的な援助があった。この説は広く流布したが、現在では否定される傾向にある。だが、もしアカデメイアがティアソスではなかったとしても、比較的自由で自律的な仕組みによって代々の学頭によって運営されていたのであろう。途中で衰退や断絶の時期があったかもしれないが、学園は後五二九年に東ローマ皇帝ユスティニアヌス一世（四八三〜五六五）が異教徒の学校閉鎖令を出すまで九〇〇年あまり存続し、多くの哲学者たちの修練の場となると共に、西洋哲学のシンボルとして後世にまで語り継がれることになる。

## †学校の重要性

ローマ時代には皇帝から認可された哲学・修辞学の学校もあり、プロティノスのように私的な学校をローマに開く者もいた。ヘレニズムからローマ期には「自由学芸」の理念も形作られて教育と教養の礎となる。哲学の中でも、アカデメイア第三代学頭のクセノクラテス（前三九五頃〜前三一四頃）に由来しストア派が受け入れた「論理学、自然学、倫理学」の三部門の学問分類が広まり、さらにそれらが細部に区分されたり整備されたりする。こうして哲学は、学校という場で図書館や教室などの施設を中心に、共に議論し研究しながら一定の思想を共有して伝えていく制度となったのである。

西洋の哲学にとって、ギリシアとローマの学校が揺り籠となったように、古代の中国やインド、さらに後代においても学校やそれに該当する組織、たとえば宗教の教団、寺院、教育機関などが伝統を形作るにあたり重要な役割を果たした。西洋中世では、キリスト教の修道院がその役割を担う。中世大学がボローニアやパリで誕生するのは一二〜一三世紀のことであった。

中国でも古代から儒教を中心とした教育制度があった（小南一郎「中国古代の学と校」、小南一郎編『学問のかたち――もう一つの中国思想史』汲古書院参照）。また、西洋の大学に相当する「書院」は、唐の玄宗皇帝（六八五〜七六二）の時代に成立し、北宋時代に本格化した。そこでは、一方的な講義ではなく「講学」という仕方で、特定のテーマを討議する教育が採用されていたという（中島隆博「中国の大学」、宮本久雄他編『大学の智と共育』教友社参照）。書院は政治的な力を持つと同時に、神を祀って祭祀を捧げる場でもあり、アカデメイアなどアテナイの学校にティアソス的性格があったことに似ている。

## †哲学の世界化と翻訳

宗教では、キリスト教、イスラーム、仏教など、一民族や一地域を超えて広まったものを「世界宗教」と呼び、他の民族宗教から区別しようとする試みがあった。哲学でも同様に、一つの文化や時代にとどまる哲学と、より広い範囲と時代に影響力をもった哲学が区別できるかが問題となる。宗教では、主に教義の普遍性の程度が世界化の基準と考えられているようであるが、その基準でさまざまな哲学を種別化することは適切とは思われない。哲学は「普遍性」を基盤とする営みであり、ある世界観や人生観が特定の人々にしか当てはまらないとしたら、哲学の定義に反するからである。

だが、この問題はむしろ「翻訳」という観点から考えるのが相応しい。ある思想は特定の時代背景で生まれ、特定の言語で、同時代や先行する他の思想を参照しつつ表現される。それが別の時代に別の言語で別の文化圏に移入される場合、翻訳という営みが必要となる。翻訳の過程では、葛藤や違和感をつうじて新たな創造がなされる。個々の哲学用語はもちろんのこと、学説や体系の全体が一まとまりで翻訳されることで、新たに表現された哲学だけでなく、その元にあった哲学も変容をきたす。翻訳を通じた越境が、哲学に世界化をもたらしていく。

翻訳は「受容（レセプション）」という創造的な営みであり、このプロセスをより多く経験した思想、より豊かな展開を見せた哲学が、世界哲学としての性格を強く帯びると考えてはどうか。本巻で論じられるギリシア哲学のラテン世界、キリスト教への導入が典型である――キケロやセネカやボエティウスが重要な役割を果たした。ギリシア哲学と科学の文献は、また、シリア語、アラビア語、アルメニア語などにも翻訳されていく。さらに、サンスクリット仏典からの漢訳と日本への移入、ラテン語から近代ヨーロッパ諸語への翻訳、また、一九世紀西洋語から日本語への翻訳過程は、その都度哲学的思考を大いに刺激した。翻訳という創造的な営みをつうじて新たな生命を宿した哲学こそ、世界哲学と呼ぶにふさわしい。

だが、そういった過程は様々な時代と地域で起こっており、この意味での世界化は現在も起こりつつあり、将来も続く。これまで必ずしも注目されてこなかった哲学や思潮が、新たに翻訳され移入されることで、世界哲学においてより重要な役割を担うことも期待される。それらは移入先の文化や哲学にも地殻変動をもたらし、緊張と融合の影響をつうじて新たな哲学を生み出すはずである。それが、世界哲学を推進する意義であり、世界哲学史を描く可能性である。

## さらに詳しく知るための参考文献

廣川洋一『プラトンの学園アカデメイア』（岩波書店、一九八〇年／講談社学術文庫、一九九九年）／廣川洋一『イソクラテスの修辞学校――西欧的教養の源泉』（岩波書店、一九八四年：講談社学術文庫、二〇〇五年）……古代ギリシアに成立した学問と哲学のあり方を知るための基本文献で、欧語でも類書がない優れた著作。

W・イェーガー『パイデイア（上）』（曽田長人訳、知泉書館、二〇一八年〔以下続刊〕）／H・I・マルー『古代教育文化史』横尾壮英ほか訳、岩波書店、一九八五年）……二〇世紀前半を代表する西洋古代文化論、教育論。西洋文明が古代ギリシアから何を受け継ぎ、何を生かそうとしているのか、原点に戻って考えるための概説書。

明星聖子・納富信留編『テクストとは何か』（慶應義塾大学出版会、二〇一五年）……書物の伝承・校訂の問題をつうじて、私たちが受け継いできたものが何か、読むテクストとは何かを、根本から考える。私たちに必要なのはテクストを読み解く力である。

ジョン・サリス『翻訳について』（西山達也訳、月曜社、二〇一三年）……古代哲学と現象学の第一人者が、翻訳の哲学的意義を論じる。

第2章 ローマに入った哲学

近藤智彦

## 1 トガを着た哲学

### †ローマ哲学とは

哲学（フィロソフィア）と呼ばれる営みがギリシア語の世界を越えてはじめて広がったのは、紀元前二世紀に地中海世界の覇者となったローマにおいてであった。ローマに哲学が入ることがなければ、哲学は一地域・一言語の枠を出ることはなかったかもしれない。古代ローマの言語であったラテン語は、この時代に哲学を担うことのできる言語へと鍛え上げられ、その後一〇〇〇年以上にわたり西洋哲学の共通言語として君臨することになる。

とはいえ、この時代に哲学が一挙に普遍的なものになったわけではない。古代ローマでは長い間、哲学がギリシア由来の輸入学問であるという性格を捨てることはなかった。また、ラテン語とともにギリシア語での著述も続いており、むしろそちらが中心的であった。ローマ皇帝マルクス・アウレリウス（後一二一～一八〇）による『自省録』がギリシア語で著されていることが、哲学のギリシア性を象徴している。

ローマ哲学は伝統的な哲学史記述では低い評価に甘んじてきた。これは哲学に限らず文学なども含めた文化一般について、ローマはギリシアの二番煎じに過ぎないとする伝統的評価と軌を一にしている。特に哲学に関して語られてきたのは次のような評価である。①内面に引きこもることによる心の平静の希求。②実践の偏重と理論の欠如。③独創性を欠いた折衷主義。

これらはいずれも根拠がないわけではないが、実態は言うまでもなくもっと複雑である。幸運なことに近年、ローマ哲学の再評価が進んでいる。「トガ（古代ローマ市民の外衣）を着た哲学」（Philosophia Togata）は、そうした研究の進展を促した論文集のタイトルである（オクスフォード大学出版局、一九八九、一九九七）。こうした研究成果から見えてくるのは、哲学と政治との間、学問と実践との間の緊張関係を意識しつつ、ギリシア由来の哲学を我が物にしようとしたローマの人々の苦心の跡である。

## 2 ローマ哲学事始

## †哲学者の使節

ローマにおける哲学の始まりを論じるにあたって、キケロは、南イタリアで活動したピュタゴラスの教えがローマに浸透していた可能性を挙げている（『トゥスクルム荘対談集』四・二〜五他）。だがそれは、キケロ本人も認めるように単なる憶測でしかない。実質的な哲学の始まりを画するとされるのは、ローマが勢力を拡大するさなか、前一五五年にアテナイからローマに政治的交渉のために派遣された使節である。この使節は、アカデメイア派のカルネアデス、ペリパトス派のクリトラオス、ストア派のバビロニアのディオゲネスという、いずれも当代きっての哲学者から構成されていた。

興味深いのは、この使節にまつわるカルネアデス（前二一四／三〜前一二九／八）の逸話である。彼は正義を擁護する弁論をした翌日に、正義を批判する演説をして衝撃を与えたと伝えられている。彼の反正義論は、その際の弁論そのものではないと考えられているものの、キケロ『国家について』第三巻（およびその散逸部分にもとづくラクタンティウスなどの資料）によって伝えられている。今日「カルネアデスの舟板」の名で知られる議論も、この中に含まれている。船が難破して海上に二人だけ取り残され、一切れのみ残された舟板には自分より力の弱そうな人がつかまっている。こうした状況で、その人を押しのけて舟板を奪うべきか。正義の人ならばその

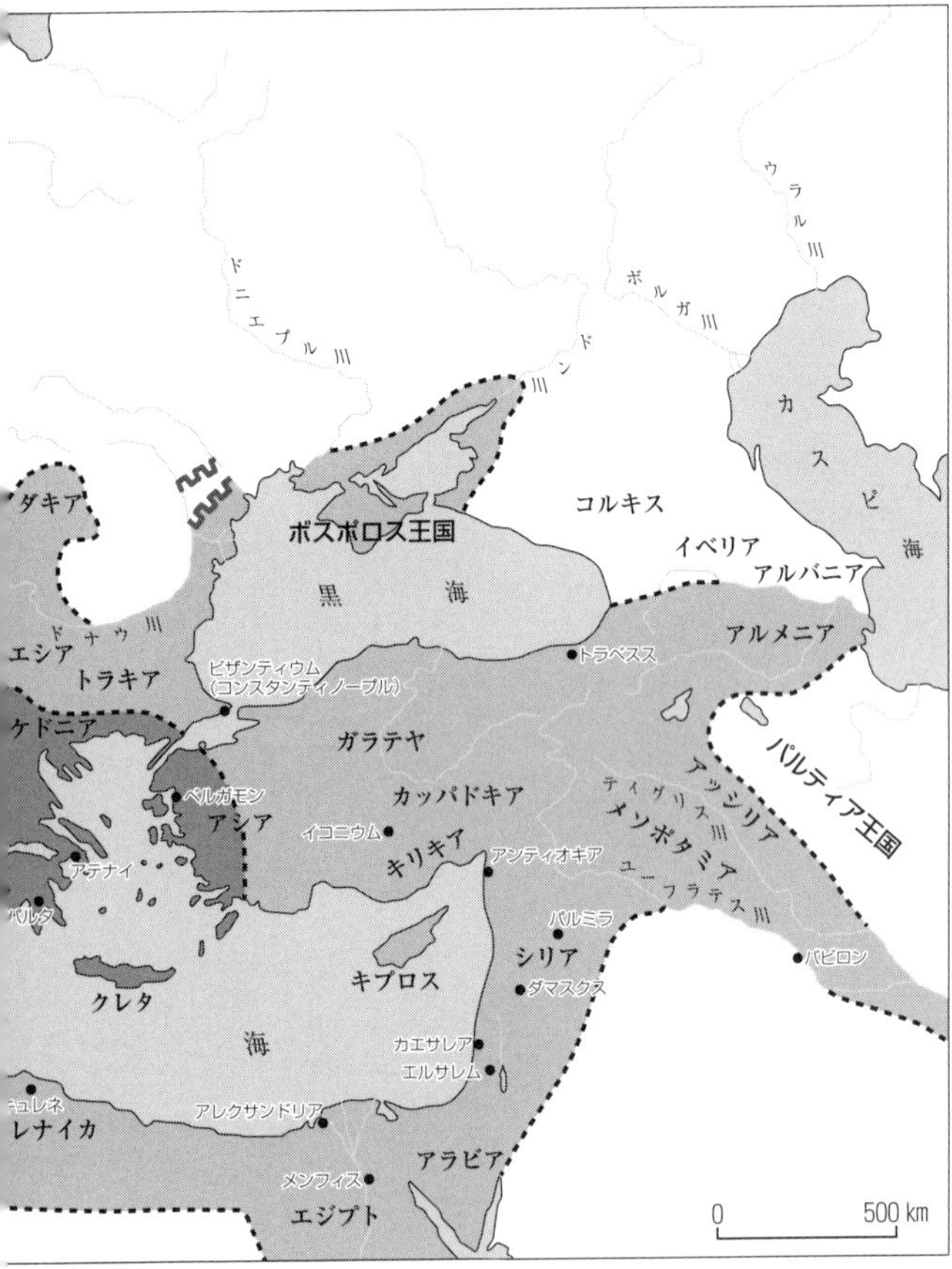
ウラル川
ボルガ川
ドニエプル川
ドン川
カスピ海
ダキア
ボスポロス王国
コルキス
イベリア
アルバニア
黒海
ドナウ川
アルメニア
トラペスス
トラキア
ビザンティウム
(コンスタンティノープル)
ガラテヤ
パルティア王国
アッシリア
ペルガモン
カッパドキア
ティグリス川
メソポタミア
アシア
イコニウム
キリキア
アンティオキア
ユーフラテス川
アテナイ
パルミラ
シリア
バビロン
キプロス
ダマスクス
クレタ
海
カエサレア
エルサレム
アレクサンドリア
アラビア
メンフィス
エジプト
0
500 km

カレドニア
ハドリアヌスの長城
ヒベルニア
北海
大西洋
ブリタニア
ロンディニウム
ゲルマニア
ベルギカ
ライン川
ルテティア
ガリア
アクィタニア
ラエティア
ノリクム
パンノニア
ナルボネンシス
トロサ
マッシリア
アクィレイア
イリリクム
ダルマティア
タラコネンシス
ルシタニア
イタリア
アドリア海
コルシカ
ローマ
サグントゥム
サルデーニャ
ネアポリス
タレントゥム
ガデス
バエティカ
カルタゴ・ノバ
地
クロトン
ティンギス
マウレタニア
ヌミディア
カルタゴ
シチリア
メッサナ
シラクサ
タプソス
中
グラックスの改革（前 133 年）のころの領土
トラヤヌス帝（在 98〜117 年）の時代の領土
国境長城（リメス）線


古代ローマの領土

ようなことはしないだろうが、そうしなければ生き残れないのだから正義を守るのは愚かだ、という議論である。

なぜカルネアデスはこのような議論をしたのだろうか。当時のアカデメイア派は、われわれには確実に把握しうるものは何もないとする懐疑主義の立場をとっていた。その立場に従って彼らがしばしば用いたのは、あらゆる事柄について賛否両面から論じるという論法である。カルネアデスの反正義論も、それが真理であることを示すためのものではなく、従来の正義論を批判して懐疑へと導くためのものだったと考えられる。

とはいえ、こうした反道徳的な主張を俎上に乗せることも厭わない哲学に警戒心を抱く者が出ても不思議ではない。キケロはカルネアデスの反正義論を応用して、「支配によって繁栄しているあらゆる民族が、とりわけ全世界を手中に収めているローマ人自身が、もし正義の人であろうとするならば、すなわち他人の物を返還するならば、小屋住まいに戻って貧窮の状態に陥らねばならない」という、ローマ帝国主義への当てこすりともとれる議論を登場人物に語らせている。こうした議論を可能にする哲学は、魅力的である反面、危険を伴うものに映ったことだろう。

実際マルクス・ポルキウス・カトー（大カトー）は、哲学者の追放を企てたと伝えられている。ただし、彼の標的は哲学だけではなくギリシア文化一般であった。彼自身はアテナイで学んだこともあったが、息子に対してはギリシア文化の危険を説き、「ギリシア人は極めてよこしまで扱いがたい種族であり、予言者として言わせてもらえば、この種族が彼らの学問をもたらした暁にはすべてを破壊するだろう」と書き伝えたという（大プリニウス『博物誌』二九・一四）。

輸入学問としての哲学への警戒心はその後も続くが、哲学をはじめとするギリシア文化はローマへと次第に根を下ろすことになる。もっとも大きな役割を果たしたとされるのは、歴史家ポリュビオスとの友好関係でも知られるスキピオ・アエミリアヌス（小スキピオ）である。キケロは小スキピオの周辺に集まった学術を愛好する人々、いわゆる「スキピオ・サークル」を理想化して描いており、上記の『国家について』のほか、ラエリウスが小スキピオとの友情を語る作品『友情について』でも彼らを登場させている。なお、『国家について』最終巻の「スキピオの夢」は、五世紀にマクロビウスによる註解が施され、古代宇宙論の古典として読み継がれることになる。

### †哲学の定着

哲学がローマに根を下ろすにあたってもっとも重要な役割を果たしたのは、小スキピオのもとに長く留まり、彼の死後にはアテナイでストア派の学頭となったパナイティオス（前一八五／〇頃～前一〇九）である。キケロ『義務について』全三巻は一九世紀に至るまで道徳哲学の権威となった書であるが、そのうち第一・二巻は主にパナイティオスに依拠しているとキケロ本人が記している。パナイティオス自身がどこまで哲学のローマ化を意図していたかは不明であるが、ローマの土壌に馴染むものであったことは確かだろう。

キケロはパナイティオスについて、「彼ら〔初期ストア派〕のかたくなさと粗野を避け、苛烈な教説と煩瑣な論証を買いかぶることなく、一方ではより穏当を、他方ではより平明を心がけ、彼自身の著作が示しているように、プラトン、アリストテレス、クセノクラテス、テオフラストス、ディカイアルコスの名前を絶えず口にしていた」と伝えている（『善と悪の究極について』四・七九、永田康昭・兼利琢也・岩崎務訳を改変）。ここには、すでに見たローマ哲学の伝統的評価につながる二つの側面が指摘されている。だが、どちらの点も留保が必要である。

キケロが伝えるパナイティオスの「義務（officium）」（ギリシア語の「適切な行為〔カテーコン〕」の訳）に関する議論は、とりわけ有為の若者に対して現実社会で生きる際の指針を示すことを目指している。特によく知られるのは、何を為すのが自分にとって「適当（プレポン）」かを思案する際に、四つの「役目」（ギリシア語ではもともと「仮面」を意味するプロソーポン、ラテン語ではpersona）を考慮しなければならないと説く議論である。すなわち、①人類共通の理性的本性、②各人に固有の性格、③社会的地位など偶然の状況から課される役目、④自分の意志により選びとる生き方、の四つである（『義務について』一・一〇七～一二一）。こうした議論は、通常の人間にはほぼ到達できない厳格な理想としての賢者のあり方を説いた初期ストア派とは一線を画するようにも見える。特に、個々人の性格の多様性に積極的な倫理的意義を見出している点は注目に値する。

だが、そこに見るべきは理論の欠如や妥協ではなく、現実に各人が置かれた状況と普遍的原則との間を往還することの必要性という、倫理学にとって不可欠の洞察だろう。しかも、こうした現実の状況に即した考察は、残存する資料に偏りはあるものの、初期ストア派にも見出されるものである（第1巻第9章参照）。また、パナイティオスが実践倫理のみを説いていたわけではないことも指摘しておく必要がある。彼は天文学に熱心だったとされ、初期ストア派では一般に認められていた宇宙炎上説を否定し、卜占術にも懐疑的だったと伝えられている。

パナイティオスはプラトンやアリストテレスを好んで引いたと伝えられているが、そこに安易な折衷を見出すのも的外れである。心には衝動（ホルメー）と理性との二つの部分があるというキケロ『義務について』（一・一〇一）の議論に関しては、プラトンやアリストテレスによる魂の諸部分の区別をパナイティオスが導入したことの表れともみなされてきた。だが、この議論が本当にパナイティオスに遡るのか、遡るとして初期ストア派からの離反と言えるのかについては、解釈が分かれている。

同じような解釈上の問題があるのが、パナイティオスに学びロドス島に学校を開いたポセイドニオス（前一三五頃〜前五〇頃）である。彼は歴史学、地理学、天文学、気象学、数学など幅広い学問に携わった大学者であり、ポンペイウスやキケロと交流するなどローマの政治家ともつながりがあった。ポセイドニオスは初期ストア派のクリュシッポスを批判して、魂に「非理性的な力」を認めたことで知られる。これにもとづいて後の医学者ガレノス（後一二九〜三世紀初頭）は、ポセイドニオスがプラトンの魂の三部分説を再導入したかのように論じている（『ヒッポクラテスとプラトンの学説について』）。だが、これはクリュシッポスを目の敵にしてプラトンに肩入れするガレノスの牽強付会であり、ポセイドニオスの議論は本来ストア派内部の展開によると考えられている。

とはいえこの頃から、プラトンとアリストテレスのテクストが果たす役割が哲学の中で増していったことは確かである。その要因は様々だろうが、それまでアテナイを拠点としていた哲学の営みが地中海世界の各地に拡散したことが、拠り所となるカノンの確立を促したという説明には一定の説得力がある。古代後期にはプラトンやアリストテレスの解釈が哲学研究の中心となり、註解という形式は後のイスラーム哲学、中世哲学に受け継がれ、長らく哲学の営みの主要なジャンルの一つとして位置づけられることになる。だが、そうした哲学の展開については別の章（第2巻第8章）に任せるとして、以下では、ギリシアから入りローマに根を下ろした哲学が、その後ローマの人々によってどのように育まれていったかを見ていくことにしよう。

## 3　ラテン語による哲学

### †ルクレティウス

ローマに入った哲学はストア派だけではない。エピクロス派に関して特筆すべきは、ヴェスヴィオ山の噴火（後七九年）によりポンペイの街とともに埋もれたヘルクラネウムの遺跡から発見された図書館跡である。この図書館跡からは一八世紀半ば以降、エピクロス派関係の文献、特にフィロデモス（前一一〇／一〇〇頃〜前四〇／三五頃）というローマで活動したエピクロス派の哲学者の著作が多数見つかっており、炭化したパピルスの解読作業は最新の科学技術を駆使して現在も進行中である。フィロデモス周辺のサークルには、ローマ詩人として名高いウェルギリウスやホラティウスも名を連ねていたと考えられている。

こうしたエピクロス派の隆盛を背景に、ラテン語による哲学にとって画期的な著作が生み出される。エピクロスの教説を韻文で詠い上げるルクレティウス『事物の本性について』である（前一世紀中頃）。それまでもエピクロス派の哲学を伝えるラテン語の書物として、ガイウス・アマフィニウスという人物によるものなどが広まっていたらしいが、残念ながらキケロによる否定的な評価しか伝わっていない。ルクレティウスは「言葉［ラテン語］の乏しさと事柄［エピクロスの哲学］の新しさ」（一・一三六〜九）のギャップに苦しみつつもそれを克服し、硬質な哲学をギリシア語韻文から移植した六脚韻（ヘクサメトロス）に乗せることに成功した。

本書の特徴は、自然の真理を解き明かし迷信と死の恐怖から人々を解放した学祖エピクロスその人の考えを、基本的には忠実に伝えることを目指している点にある。ルクレティウスが依拠したのはエピクロスの大著『自然について』（パピルス断片のみ残存）だったと考えられており、エピクロス本人の記述が伝わっていない議論などの貴重な資料ともなっている。だが、学派への盲従をエピクロス派、ましてやローマ哲学全般の特徴とみなしてはならない。上述のフィロデモスの著作などからは、当時も学派内外で様々な論争が激しく交わされていたこと、また、弁論術、詩論、音楽論などエピクロス派が当初は重視していなかった分野も開拓されていたことが分かる。

ルクレティウスは韻文の形式を用いたことについて、苦い薬を蜂蜜で包んで子どもに飲ませるように、哲学という魂を癒す薬を韻文で包んで人々に受け入れられやすくしたのだ、と述べている（一・九三三〜五〇）。エピクロス派は、哲学の最終目標は心の平安にあることを強調し、そのために教説を心に刻み込むことを重視していた。ルクレティウスの著作は、その後のラテン語の韻文にも大きな影響を与えた。ウェルギリウスやオウィディウスの洗練は、ルクレティウスの肩の上に乗ることなしには達成されなかっただろう。だが、本書の哲学そのものが大きなインパクトを与えるのはもっと後のことである。一四一七年にイタリアの人文学者ポッジョ・ブラッチョリーニ（一三八〇～一四五九）により写本が再発見され広く読まれるようになると、エピクロス派の哲学はルネサンス・初期近代の哲学や科学に大きなインパクトをもたらすことになる。

## †キケロ

ローマ哲学でもっとも重要な位置を占めているのはキケロだろう。彼の真の望みは、混乱する国家を弁論の力で正しく導く政治家として大成することだったはずである。その本望が果たせなかったことは本人にとってはおそらく不幸だったが、われわれにとっては幸運なことであった。彼が政治的に不遇だった時期に、哲学関係の著作が集中して書かれたからである。特にカエサル独裁以降の晩年には（前四五～前四四年）、アウグスティヌス（後三五四～四三〇）に大きな影響を与えたことで知られる『ホルテンシウス』（散逸）、懐疑主義をめぐる論争を論じる『アカデミカ』、倫理学の理論篇と実践篇とも言うべき『善と悪の究極について』と『トゥスクルム荘対談集』、自然学に属する諸問題を論じた『神々の本性について』『占いについて』『運命について』、さらに上述の『義務について』などが矢継ぎ早に執筆された。彼は哲学の全分野をラテン語でカバーすることを目指していた。

キケロはこれら自著の成果をこう誇っている。「これまで、ギリシアの教育を受けた者の多くは、自分たちが学んだことを一般市民と共有できないでいたが、それはギリシア人から学んだことをラテン語で語ることに自信がもてないためであった。この点にかんしても、わたしたち（ローマ人）は大きく進歩したので、語彙の豊富さにかけて、ギリシア人にいささかも引けを取らなくなったと言えるほどである」（『神々の本性について』一・八、山下太郎訳を改変）。持ち前の自慢癖がここにも顔を出しているが、この点に関してはキケロの矜持ももっともだと言える。

ラテン語による哲学の苦心について言うと、例えば qualitas（性質、英語の quality）はギリシア語の「ポイオテース」を直訳したキケロによる造語である。このように近代語にも入った彼の造語は多数あるが、とはいえこうした直訳は比較的単純な方だろう。キケロは「下手な通訳がよく行うように、同じ内容を表すもっとふつうの言葉があるにもかかわらず、直訳することにこだわったりする必要はない。さらに私は、他にしようがないときには、一つのギリシア語の単語で表されることを複数のラテン語の単語で訳すことをよく行っている」と語っている（『善と悪の究極について』三・一五、永田康昭・兼利琢也・岩崎務訳を改変）。例えば「運命・宿命」を表す哲学的術語であるギリシア語の「ヘイマルメネー」の訳語には、ラテン語の「ふつうの言葉」である fatum（運命、英語の fate）が当てられた。さらに、ギリシア語の「エーティケー」（倫理学）は ratio de vita et moribus（生と性格・習慣についての学）と表すというように、複数の単語によって意味を伝える工夫も随所で試みている。興味深いことに、哲学（philosophia）という語自体は、すでにラテン語に膾炙しているという理由で、ギリシア語をそのまま用いている（『アカデミカ（第二版）』一・二四）。キケロによる哲学のラテン語化の特徴は、こうした臨機応変の工夫にあった。

キケロは、政治的混乱を避けて前八九／八年にアテナイからローマに逃れてきたアカデメイア派の学頭ラリッサのフィロン（前一五九／八～前八四／三）の教えを受け、基本的にはその穏健な懐疑主義の立場に従っている。晩年の哲学的著作の多くは、エピクロス派やストア派などの学説を紹介しては批判するという手法で書かれている。彼は特定の学説の絶対的な真理を主張することはないが、それぞれの場合にもっともらしく説得的だと思われる説を擁護することもある。こうした点が、キケロが悪い意味で折衷的であるという印象を与えかねないのは事実である。かつて一九世紀ドイツの歴史家テオドール・モムゼンはカエサルと比較してキケロを日和見主義者だとする厳しい評価を下したが（『ローマの歴史』）、そうした伝統的評価と合致するように見えるかもしれない。

例えば各学派の倫理学説を批判的に検討する著作『善と悪の究極について』の最後では、幸福であるには徳さえあれば十分か、という古来の問いが取り上げられる。この問いに「十分だ」と答える厳格なストア派の立場に対して、キケロの師の一人でもあったアスカロンのアンティオコス（前一三〇頃〜前六八頃）は「幸福に生きる」には徳のみで十分だが「この上なく幸福に生きる」には十分ではない、と説いたという。有徳であれば必ず幸福であることは認めたとしても、拷問に苦しむ人と栄誉を得た人とでは幸福の度合いに差があると考えざるをえないからである。この論争をめぐってキケロは、ストア派の説の方が首尾一貫性の点ではすぐれていると論じる一方で、アンティオコスの説の方が日常的直観には合致していると論じ、問いを開いたまま作品を閉じている。

だがキケロは、こうした論法こそが、権威に頼らず各自の自由な判断に従うという哲学本来のあり方にかなうと考えていた。さらに彼は、国家を正しく導く「学識ある弁論家」になるためにも、哲学が必須であると考えていた（『弁論家について』三・一四三、大西英文訳）。若者たちを哲学にいざなうべく哲学的著作を執筆することは、彼にとっては自国ローマに貢献する「政治活動」だったのである。彼が行ったのは、ソクラテス以来緊張関係にある哲学と政治、哲学と弁論の架橋という壮大な試みであった。生前には果たされなかったその夢は、ルネサンスの人文主義を経て、現在に至るまでそうした試みの参照軸となり続けている。

## 4　生の技法としての哲学

## †実践と学問の間

アウグストゥスによる帝政樹立の数十年後、ネロ帝の時代を生きたセネカ（前四／後一〜六五）は、アカデメイア派をはじめとした多くの学派が、後継者不足のため消滅してしまったことを嘆いている（『自然研究』七・三二・一〜二）。とはいえ、哲学自体が下火になったわけではない。特に後一世紀から三世紀までのいわゆる「第二次ソフィスト思潮」では、哲学にも通じた多くの文人が活躍した。ディオン・クリュソストモス、アイリオス・アリステイデス、ルキアノス、フィロストラトスなど、いずれも幅広いジャンルの文学作品を残している。『英雄伝（対比列伝）』で知られるプルタルコスや『黄金の驢馬』で知られるアプレイウス、死後も千年以上にわたってヨーロッパ・イスラーム世界で医学の権威として君臨したガレノスも同時代の人物であり、彼らは皆、哲学的著作も多数残している。

だが、ローマ哲学の代名詞となっているのは、セネカ、エピクテトス、マルクス・アウレリウスの三名のストア派の哲学者だろう。ネロ帝の師として政治にも深く関与したセネカは、多くの悲劇などとともに、主に倫理学に関する多くの論考と『自然論集』、『倫理書簡集』を著している。彼のラテン語は古来クィンティリアヌスが批判するなど好みは分かれるが、中世から近代にかけての影響は絶大であった。解放奴隷の身であったエピクテトス（後五五頃〜一三五頃）

は、三名のうち唯一職業的な哲学者である。彼自身は著作を残していないが、アッリアノスによる『語録』のほか（現存するのは全八巻分のうち四巻分）、教説の要点を五三の断章にまとめた『提要（エンケイリディオン）』は後世に広く読まれた。ローマ皇帝マルクス・アウレリウスの『自省録』は、日本でも神谷美恵子の訳などを通して多くの愛読者を得てきた。哲学を庇護する彼の治世下で、プラトン派、ペリパストス派、ストア派、エピクロス派の四学派の教授職がアテナイに設けられている（後一七六年）。

実践の偏重と理論の欠如というしばしば指摘されるローマ哲学の特徴は、彼らの言葉に根拠を見出すことができる。「もし理論が君を惹きつけるならば、坐ってそれを自分でとやかくと熟考するがいい。だが決して君自身を哲学者であると言ってもならないし、また他人が君をそう言うのを許してもならない」とエピクテトスは説く（『語録』三・二一・二三、鹿野治助訳を改変）。さらには、「官職や富の欲望だけでなく、平静や閑暇や旅行や学識の欲望も、人を卑しくし他に隷属させる」（四・四・一、鹿野治助訳を改変）とすら述べた上で、いかなる状況に置かれようともそれに応じた適切な生き方を実践せよと説くのである。セネカも同様に、「講義室の（似非）哲学者」と「昔風の真の哲学者」を対比させ（『生の短さについて』一〇・一、大西英文訳）、知恵が授けるのは実際の行いであって言葉ではない」（『倫理書簡集』八八・三二、大芝芳弘訳）と単なる博識の無益を説いている。

哲学や思想は単に学ばれるだけではなく「生きられる」べきものだという発想はおそらく古今東西を問わず見出されるが、西洋においてそうした発想の範型となってきたのは彼らローマのストア派である。フランスの哲学史家ピエール・アド（一九二二〜二〇一〇）がこれを「精神（霊的）修養」の伝統として論じ、ミシェル・フーコー（一九二六〜一九八四）にも影響を与えた。彼らの実践哲学はキリスト教思想にも入り込み、現代に至るまで多くの読者に人生の指針を与えてきた。かつてよく読まれた教養書であるカール・ヒルティ（一八三三〜一九〇九）の『幸福論』には、エピクテトス『提要』の全訳が収められている。日本でも、仏教思想家の清沢満之《きよざわまんし》（一八六三〜一九〇三）がエピクテトスを高く評価したことで知られる。

とはいえ、実践を重んじるあまり理論を軽視しているかのようにも聞こえる彼らの強い口調は、鵜呑みにしない方がよい。実際にはエピクテトスですら、実践とはただちに結びつかないと思われる論理学を教育課程に取り入れていた。エピクテトスは、師ムソニウス・ルフスから論理学を学んでいた際、過ちを犯して咎められたというエピソードを伝えている。弟子エピクテトスが、論理学の過ちは父親殺しやカピトリウム放火ほどの罪ではないですよね、と口答えしたところ、師ムソニウスは「この状況下で犯しうる唯一の過ちを君は犯した」のだから同罪だ、と言って叱ったという（『語録』一・七・三〇〜三二）。彼らローマのストア派は確かに実践を重視したが、そのために理論や学問を拒絶したわけではなく、よき生に至るための必要な手立てとして学ばなければならないと説いたのである。

また、理論偏重の哲学に対する批判がなされたことは、同時期に学問としての哲学が盛んであったことの表れでもある。古来の様々な哲学者や学派の学説を整理してまとめた「学説誌」などが編まれたのもこの頃である。現存するものでは、ストバイオス『精華集』(後五世紀)などによって伝わるアエティオス(後一〜二世紀前半)やアレイオス・ディデュモス(後一〜三世紀)の作とされる学説誌、ディオゲネス・ラエルティオス(後三世紀前半)の哲学者列伝などは、いずれもローマ期の学者による営為の成果に負っている。

## †心の平安と「折衷」の諸相

ローマ哲学が心の平安に大きな関心を寄せていたことは事実である。エピクロス派は精神の無動揺(アタラクシアー)を、ストア派は無情念(アパテイア)をそれぞれ理想的な状態であると考え、徹底した懐疑主義をとったピュロン主義も判断保留によってこそ無動揺に至ると説いていた。ストア派については、パナイティオスによって取り入れられたデモクリトスの「快活(エウテュミアー)」という概念が、セネカによって「心の平静」と訳されて論じられている(『心の平静について』)。またセネカ『怒りについて』では、適度な感情をもつことを説くペリパトス派に対抗して、怒りの情念の徹底した排除が説かれている。

後にデカルトはセネカの『幸福な生について』を読み、そこにストア派とエピクロス派（とアリストテレス）を和解させる幸福概念（「精神の完全な満足と内面の充足」）を見出そうとした（「エリザベト宛書簡」一六四五年八月四日、八月一八日）。たしかに本作品でセネカは、「私自身、個人的にはこういう意見をもっている――わが（ストア派の）朋輩は不服であろうとも私はそう言いたい――、すなわち、エピクロスの教えは尊く、正しいものであり、さらに近寄ってよく見れば、厳格でさえある、と」と述べている（一三・一、大西英文訳を改変）。だがセネカ自身は、最終的にはエピクロスの快楽主義を否定しており、快楽はあくまで最高善である徳に付随するものに過ぎないと注意深く記している（一五・二）。

セネカは『倫理書簡集』でもしばしばエピクロスの言葉を「公共のもの」として引用するが、それは彼の説明によると「彼のもとへ逃げ込む輩、悪しき期待に導かれ、自分の悪徳を隠す覆いを得られると考える輩に向かって、どこへ行っても立派に生きねばならぬことを証明できるから」である（二一番、高橋宏幸訳）。例えば九七番の書簡では、不正を犯した者は発覚の恐れから免れることができない、だから不正な人は幸福になりえない、と説くエピクロスの言葉を、セネカはまずは好意的に引用する。だが、この教えに対しては、「カルネアデスの舟板」のように絶対に発覚しないことが確かな状況では不正をとどめるものがないことになってしまうのではないか、という批判が可能だろう。セネカはこの問題を念頭に置きつつ、エピクロスがもともと語っていた恐れを超えて、われわれには罪を忌避する本性が植えつけられており、だからこそ不正を犯すかぎり発覚の可能性にかかわらず「罪の意識」（後に「良心」の意味を帯びるconscientiaという語が用いられている）がもたらす恐れから逃れられないのだ、と論じるのである。

同じようにエピクロス派を参照しつつ自分の土俵に引きずり込む手法は、マルクス・アウレリウス『自省録』にも見られる。彼が何度も持ち出すのは「摂理か原子か」という選言である。つまり、世界が摂理によって統御されているというストア派の考えが正しくとも、世界が原子の運動によって成り立っているというエピクロス派の考えが正しくとも、われわれは世界で生じるできごとに不満を抱いてはならないこと、この世界に執着すべきものは何もないこと、死は恐れるに足りぬものであること、といった教えの正しさが示されると説く。

「マケドニアのアレクサンドロスも彼のおかかえの馬丁もひとたび死ぬと同じ身の上になってしまった。つまり二人は宇宙の同じ種子的ロゴスの中に取りもどされたか、もしくは原子の中に同じように分散されたのである」（六・二四、神谷美恵子訳を改変）といった印象的な言葉は、しばしば彼の厭世的世界観の表れと解釈されてきた。だが、彼が最終的に採用するのはストア派の摂理的世界観である点には注意が必要である。例えば次の一節は、最後の一文に比重をかけて読むべきであろう。「混乱、錯綜、分散か。それとも統一、秩序、摂理か。もし前者であるならば、なにを好んで私はこんなでたらめの混雑と混沌の中にとどまろうか。ついに『土にかえる』こと以外に心にかけることがあろうか。なぜ心をみだすことがあろう。私がなにをしようと、分散は私にも及んでしまうだろう。しかしもし後者であるならば、私は畏敬し、泰然として、統御者を信頼するのである」（六・一〇、神谷美恵子訳を改変）。

## †自由の実践としての哲学

エピクテトスの教説の中核をなすのは「われわれ次第のもの」と「われわれ次第でないもの」の区別である。財産や名声、権力はもちろん、自分の身体の健康すら、完全には自分の思い通りにならない「われわれ次第でないもの」である。このようなものに欲望を向ける限り、真の自由は得られない。これに対して、われわれの「意志」（プロアイレシス）は「われわれ次第のもの」であり、これを正しくはたらかせることで真の自由は得られる、と彼は説く。

この自由は単なるやせ我慢にも見えるかもしれないが、そうではない。彼が説くのは、「われわれ次第のもの」とそうでないものを区別した上で、自分が置かれた状況で為すべきことを揺るぎなくしっかり果たすことである。彼は、ストア哲学を信奉する元老院議員ヘルウィディウス・プリスクスの逸話を伝えている。ウェスパシアヌス帝はヘルウィディウスが批判的な発言を行うことを見越して議会に出席しないように命じたが、彼は次のように拒んだという。

「私が元老院議員であるのを許さないのは、あなた次第です、だが元老院議員である限り、私は行かねばなりません。」

「よろしい、しかし来ても黙っていたまえ。」

「では私に尋ねないで下さい、そうすれば黙っていましょう。」

「しかしわしは尋ねねばならない。」

「では私も、正しいと思われることは言わねばなりません。」

「しかしもし君が言うなら、わしは君を殺すだろう。」

「いつあなたに私が不死身だと言いましたか。あなたはあなたのことをするでしょうし、私は私のことをするでしょう。あなたのすることは、殺すことであり、私のすることは、恐れずに死ぬことです。あなたのすることは、追放することであり、私のすることは、苦にせずに立ち去ることです。」（『語録』一・二・一九〜二一、鹿野治助訳を改変）

ヘルウィディウスの義父トラセア・パエトゥスも、かつてネロ帝によって罪を問われ自殺した人物であった。ストア派が正当な理由による自殺を認めたことは有名だが、とりわけ肯定的に自殺を語るのはセネカである。実際セネカもトラセアと同様の最期を遂げている。興味深いのは、歴史家の記述が正しければ、彼は意図的にプラトン『パイドン』で描かれたソクラテスの死と重ねて自身の哲学的な死を演出したという点である。セネカの死は人々に感銘を与え後世に絵画などの題材を提供した一方で、これ見よがしともとれなくはない。哲学者らしからぬ巨万の財を築いたと伝えられるセネカには、古来偽善者との批判が向けられてきた。

セネカは、自然が決めた最期を待つべきだと論じて自殺を認めない哲学者のことを、「自由の道を閉ざしている」と批判している（『倫理書簡集』七〇・一四、高橋宏幸訳）。ここでの自由とは、単に従容として死を迎えるという自由のみならず、自身の死を選びとるという積極的な自由を意味している。自殺を称揚するかのような議論は違和感を与えるかもしれないが、死そのものを美化しているのではなく、人はいかなる極限状態に置かれても「自由」を行使できること、だから通常の状況ではさらに多くの行動ができることを示して、われわれを奮い立たせようとしているのである。

したがって彼らの説く自由は、あくまでこの現世の生における自由である。これに対して、現世の秩序とラディカルに対峙し、真の自由をこの世ならぬところに求めようとする思潮が生まれ、勢力を伸ばしていく。ギリシア以来の哲学の伝統の内部では新プラトン主義が、そして言うまでもなくキリスト教が、それにあたる。だがローマ哲学の精神も、そうした新たな思潮に取り込まれたり、時代を超えて蘇ったりしながら、今に至るまで命脈を保っている。

## さらに詳しく知るための参考文献

坂口ふみ『人でつむぐ思想史Ⅱ――ゴルギアスからキケロへ』（ぷねうま舎、二〇一三年）……キケロによる哲学と弁論、理論と実践の架橋の試みとその意義を、アカデメイア派の懐疑主義という彼の哲学的立場を考慮に入れながら、著者独特の視点から論じている。

スティーヴン・グリーンブラット『一四一七年、その一冊がすべてを変えた』（河野純治訳、柏書房、二〇一二年）……ルクレティウスの写本の再発見の経緯と、そのことが後の哲学や科学にもたらしたインパクトが、興味深い筆致で物語られる。

國方栄二『ギリシア・ローマ　ストア派の哲人たち――セネカ、エピクテトス、マルクス・アウレリウス』（中央公論新社、二〇一九年）……ローマ哲学を深く理解するには、当時の政治や社会との関わりを知ることが必要である。本書はストア派（特にローマのストア派）を取り上げ、時代背景を丁寧に説明した上で、そこに彼らの哲学を位置づけている。

荻野弘之『マルクス・アウレリウス『自省録』――精神の城塞』（岩波書店、二〇〇九年）……マルクス・アウレリウスを中心に、ローマのストア派における「生きられた哲学」の諸相を描く。日本も含めた後世におけるマルクス・アウレリウスの受容に関する記述も詳しい。

小池登・佐藤昇・木原志乃編『『英雄伝』の挑戦――新たなプルタルコス像に迫る』（京都大学学術出版会、二〇一九年）……本章では触れる余裕がなかったが、プルタルコスはギリシアとローマの狭間で旺盛な著作活動を行った興味深い文人であり、後世に与えた影響も計り知れない。本書は彼の哲学を含めた多様な側面を知ることができる論文集である。

# 第3章 キリスト教の成立

戸田 聡

## 1 哲学史の中の古代キリスト教?

### †はじめに――キリスト教は哲学か否か

「世界哲学史」の中で「キリスト教」という宗教が独立の章立てで扱われることに、違和感を覚える読者がいるだろうか。宗教と哲学が必ずしも直ちに同一視されないことを思えば、そういう読者がいても不思議でない。他方、特にヨーロッパ文化圏において、また無論他の文化圏でも、キリスト教が果たしてきた役割の大きさを思えば、何ら違和感を覚えない読者がいても不思議でない。とはいえ、筆者自身はどうかと問われれば、前者に与《くみ》したい気がする。というのも、古代ギリシアに淵源し、神或いは超越者を極力引き合いに出さずに窮理を目指す知的営み(自然哲学)として始まった哲学の由来からすれば、哲学と宗教の間《あいだ》には画然たる一線が引かれるべきだ、と思うからである。

そして内容をやや先どりすると、本章が扱う古代キリスト教の歴史とはまさに、哲学と宗教の間《あわい》（ここではこの字をあえてこう読みたい）が再三問われた歴史だった、と筆者は考える。なぜそう言えるか、これを説明するのが本章の役割である。

## †始まりとしてのイエス・キリスト、最初期のキリスト教、哲学

キリスト教に関する言説はイエス・キリスト（前四頃？～後三〇頃）を始まりとする。例えば、使徒パウロ（生年不詳～後六四頃？）をキリスト教の創始者とする見方に若干の理があるとしても、そのパウロ自身、自らの使徒たる根拠としてイエス・キリストを引き合いに出している。

イエスはつねに、日常生活の営みから遠くないところで教えを説き、その中で神の偉大さを簡勁《かんけい》に説いた。例えば（以下、聖書引用は聖書協会共同訳による）、

自分の命のことで何を食べようか何を飲もうかと、また体のことで何を着ようかと思い煩うな。命は食べ物よりも大切であり、体は衣服よりも大切ではないか。空の鳥を見なさい。種も蒔かず、刈り入れもせず、倉に納めもしない。だが、あなたがたの天の父は鳥を養ってくださる。（マタイ六・二五～二六）

は、イエスのそのような教えの最も有名な例の一つだと言えよう。

ところで、イエス自身は哲学者でなく、その教えは哲学でなかった。そもそもギリシア語の読み書きなど全くできなかっただろうイエスが使ったのは、まずアラム語であり、たぶんヘブル語も使っただろうが、その他の言語の使用の形跡は全くない。

唐突に言語への言及が出てきたと思われるかもしれないが、哲学、より広く学問一般、と言語との間の密接な関係は、それ自体自明だろう。つまり結局、学問の基礎は物事の正しい区別・弁別であり、それはそれなりに精緻な言語によって初めて担われうる。そして古代にそのような精緻さを有した言語とは、やはり他を圧倒してギリシア語だったのである。それ以外では、ギリシア語の圧倒的影響のもと自らを知的言語として発展させたラテン語がようやく哲学的営みを担えたかどうか、といったところではなかったか。イエスの時代にアラム語が哲学を担いえたかどうかは極めて疑わしく、実際、アラム語の一方言たるシリア語は、のちに数世紀間かけてギリシア語の学問的文献がシリア語に訳された結果、ようやく学問を担う言語たりえたように思われる。アラム語と同様セム語であるヘブル語は、優れた宗教的文学を生みだしたが、ここで言う意味での哲学を担った形跡は古代に関する限り全くない。

イエスにせよ、また、使徒ら直弟子を中心とする最初期のキリスト教徒たち、つまり、後三〇年ごろに叛徒として十字架上で刑死し、そしてキリスト教の教えによれば三日目に復活したイエスを、キリスト（ヘブル語のメシア「油注がれた者」のギリシア語訳。つまり救世主）だと信じた人々にせよ、彼らの関心の対象は、哲学つまり窮理の営みではなく、癒し或いは救いだった。

しかし早くもここで、本章は最初の重要な但し書きを記さねばならない。すなわち、いわゆる『新約聖書』を成すに至った諸文書、特にイエス・キリストの言行を記した文書たる『福音書』は基本的になぜかすべてギリシア語で著されたのである。福音書の成立、特にいわゆる共観福音書問題（ほぼ同様な見方からイエスの生涯を描いた三つの福音書、すなわちマタイ伝、マルコ伝、ルカ伝の成立の先後関係などを問う問題をこう称する）に関する議論にはここでは立ち入れないが、福音書の中の最古の、他の諸物のもととなった物が、イエス・キリストの死・復活後の極めて早い時期にギリシア語文書として成立したことは、疑いを容れない。つまりキリスト教の伝承には、既にこの段階で言語的ねじれが見られるのである。この言語的ねじれの原因と意味について、今日まで定説は存在しない。

とはいえ、ギリシア語での著作活動が直ちに哲学への接近を意味したわけでは必ずしもなく、例えば、二〇世紀最大の教父学者の一人だったJ・ダニエルー（一九〇五〜一九七四）は、最初期すなわち二世紀前半までのキリスト教（彼はこれをユダヤ的キリスト教と称した）の特徴的な思考形式として、終末論や天使論を挙げている。世の終わりに関する言説――そして言うまでもなく終末論は、宗教的な立場からの将来予告を旨とする預言と不可分である――にせよ、霊的な存在たる天使に関する言説にせよ、どちらも哲学を構成する議論とは言いがたい。のちに問題となる善悪二元論も既にこの時期に見られたが（例えば『ディダケー』）、宗教的救済との関係で善に従い悪を去ることを勧める道徳的勧奨をそれは超え出ていなかった。

## 2 「キリスト教のギリシア化」――グノーシス主義と護教家

### †グノーシス主義と正統派

この状況は二世紀に変化する。時代的先後を明確にするのは困難だが、まず一方で、グノーシス主義と総称できる思潮が二世紀に隆盛を極めた。グノーシス主義が全体としてギリシア思想の影響下にあったことは疑いないが、その起源をめぐる議論は際限がなく、ここでその詳細に立ち入ることはできない。覚知（グノーシスはギリシア語で「知識」「覚知」を意味する）の重要性を説く思潮であるグノーシス主義の基調を成すのは善悪二元論で、しかもそれは、霊を善とし肉或いは物質を悪とする霊肉二元論でもあった。そしてその関連で造物主が低く評価されることも往々見られ、それはキリスト教との関連で旧約聖書（の神、つまり天地を創造した神）に対する低い評価につながっていた。さらにグノーシス主義は、イエス・キリストの肉体的（言い換えれば物質的）受難を仮象的《みせかけの》な出来事と解するいわゆる仮現論とも往々親和的だった。これら諸々の特徴（さらにその他いくつか特徴が列挙できる）の束から成るグノーシス主義――かくて、グノーシス主義には色々な派が存在した――は、旧約聖書、特に創世記に見られる創世神話のパロディーと解せる神話がたりを往々産み出したが、様々な点でグノーシス主義と似ているマルキオン派（ただしこの派自体は、今日有力な解釈によればグノーシス主義に含まれない）のように、別方面からの考慮も相俟って旧約聖書自体を捨て去ってしまうことも起こりえた。

キリスト教の正統派――二世紀において「正統派」という語を使うのが妥当か否かについては議論の余地があるが、説明の都合上ここでは使用することにする――は、グノーシス主義を拒絶した。拒絶の理由は色々あり、例えばグノーシス主義は、復活後のイエスが弟子たちに特別な教えを披露したとか、いわゆる裏切り者のユダにイエスが特別な教えを伝えた（『ユダの福音書』）とかいう伝承を持ち、或いはでっち上げ、イエス・キリストにかかわる福音書伝承（或いは端的に福音伝承）を不純なものにしている、という否定的な評価も、拒絶の際には作用しただろう。

また特に、旧約聖書に対するグノーシス主義の立場からの批判的・否定的な評価は、正統派には受け入れられなかっただろう。というのも、キリスト教がキリスト教たる所以は、イエスこそがキリスト（メシア）だとする主張に在り、しかもその主張の根拠は、旧約聖書に見られる様々な預言が特にイエス・キリストにおいて集中的に実現（成就）したとする、聖書（旧約聖書）解釈にあったのであり、したがってキリスト教は、その旧約聖書を諷刺したりさらには捨て去ったりするなどといった立場を断じて採れなかったからである。さらに、二世紀においてキリスト教の聖典とは、今日言うところの旧約聖書のみであり――キリスト教はもともとユダヤ教の一派として始まったのだから、これは当然至極である――、諸文書の集成としての新約聖書は当時未だ存在せず、よってなおさら、旧約聖書を捨て去るなどという選択肢はキリスト教には全くありえなかったのである。

なお、その新約聖書の成立は、或る学者（カンペンハウゼン）によれば次のように説明される。すなわち、上述のマルキオン派が旧約聖書を捨て去った時に代わりに自派の聖典として独自の新約聖書（『マルキオン聖書』とも称される）を編纂したのが新約聖書編纂の最初の試みであり、キリスト教の正統派は、マルキオン派を異端として排斥しつつ、対抗上、また無論自らの必要からも、新約聖書を編纂せざるをえず、かくて今日知られる新約聖書が形成されるに至った、というのである。筆者自身はこの説こそが新約聖書の成立に関する最も説得的な説明だと考えていることを、ここで付言しておきたい。

## †護教家たちと「キリスト教のギリシア化」

次に他方で——本節冒頭の「一方で」と対を成す表現だと理解されたい——、周囲の世界に対してキリスト教を説明、より正確には擁護する企てが二世紀の経過の中で見られるようになった。その最初の担い手は、二世紀半ば或いはその少し前から活動が確認できるいわゆる護教家たち（護教家教父という言い方もある）で、その代表格がユスティノス（一〇〇頃～一六五頃）である。彼の場合に特に明確に看取されることだが、キリスト教徒になる前、彼は哲学者として様々な学派を遍歴していたようで、そしてキリスト教徒になったあともその遍歴を後悔していない。つまり護教家にとって、ギリシア思想にどっぷり漬かることとキリスト教徒たることとは、必ずしも矛盾しないのである。

ユスティノス以降の護教家の中には彼の弟子タティアノス（二世紀）のようにギリシア文化を悪しざまに言う者もいたが、そのような者も含めて共通して言えるのは、一様に彼らが（一応）立派なギリシア語で著作した、ということであり、この点で彼らはそれ以前の人々、例えば護教家教父のほぼ一つ前の世代に当たるいわゆる使徒教父たち、と区別することが可能である。つまり、大雑把な言い方をあえてするなら、護教家教父と共にギリシア文化が、言わば大挙してキリスト教の中に入ってきたのである。護教家たちがキリスト教を擁護する際に議論の相手方として念頭に置いていた人々が、当時の世界の知識人、つまりギリシア文化に通じた人々だった以上、これは致し方ないことだったのだろう。そしてそのような状況下でキリスト教自体が次第に変質を遂げたのではないか、ということがキリスト教史研究の中で問題とされてきた。この変質を問う際のキーワードが、見出しの「キリスト教のギリシア化」という言い方である。

「キリスト教のギリシア化」については、古代キリスト教研究史上最大の大立者と評してよいA・ハルナック（一八五一～一九三〇）の定式――最初にこの表現を定式化したのは彼ではないのだが――が通常用いられる（『教義史読本』第一巻、二四九～二五〇頁）。

「グノーシス主義とカトリック的キリスト教との間の」大きな相違は本質的に次の点に存する。すなわち、グノーシス主義的形成物においては、キリスト教の急性の世俗化ないしギリシア化（旧約聖書に対する拒絶を伴う）が現れており、これに対してカトリック的体系においては、漸進的に成った世俗化ないしギリシア化（旧約聖書の保持を伴う）が現れているという点、これである。

ハルナックのこの定式は、前半部分に即して、つまりグノーシス主義との関連でのみ、引き合いに出されることもままあるが、しかし当の定式はカトリック的キリスト教の側でもギリシア化が見られたと明確に述べており、この両にらみの認定は全く妥当だと思われる。つまり、急速にであれ漸進的にであれ、全体としてキリスト教は「ギリシア化」を遂げたのだ、と。

## †「ギリシア化」すなわち「学知化」

では、「キリスト教のギリシア化」はとどのつまり何を意味するのか。この点については、それはキリスト教（の教え）、より端的には聖書、の「学知化」を意味したと言っておきたい。その意味は次のように考えればわかりやすいだろう。すなわち、この時期以降、キリスト教においては神学論争が次第に活発化し、特にいわゆる三位一体論をめぐって非常に精緻な、哲学的と称してよい議論が展開したのだが（そのような議論について詳しくは、本書第9章を参照）、その際論拠とされたのは特に聖書（もちろん旧約聖書）の文言であり、つまり聖書の言葉が、学問的議論の用語集或いは命題集であるかのように扱われたのである。本来的に宗教的文献である聖書の扱い方として、これが大いに逸脱的であることは明白だが、しかし実際に事柄はそのように推移したと言わざるをえない。

その過程の一コマを示すと、例えば、三世紀前半に活動したキリスト教著作家オリゲネス（一八五頃〜二五四頃）は著書『諸原理について』の中で神について次のように論じている（小高毅訳、五六〜五七頁。［］内はギリシア語を示す）。

（前略）神は何らかの物体であるとか、物体の内に存在すると考えてはならず、純一な知的存在であり、自らの存在にいかなる添加をも許さない御者であると考えるべきである。……神はことごとく一［モナス］であり、いわば単一性［ヘナス］であり、精神であり、あらゆる知的存在即ち精神の始原であるところの源泉である。（中略）万物の始原である神が複合体であると考えてはならない。（後略）

哲学的と評してよいこの論述をどう受け止めるかは読者の判断に委ねるが、冒頭で引用したイエス・キリストのおおらかな言葉と大きく趣を異にすることだけは明白だろう。但し、オリゲネス自身は、学があっただけでなく非常に敬虔なキリスト教徒だった、ということは述べておかねばならない。自らの知的営為が信仰に反するなどとは、彼自身は微塵も思っていなかったのである。また、この種の議論に取り組んだ多くのキリスト教著作家は、聖書の神が本来超越的な——つまり、言語による表現が可能でない——存在であることを示すべく、神を論じる際に「〜でない」という意味の単語（ギリシア語のいわゆる否定の接頭辞アルファがついた形）を多用した。

## 3　キリスト教の教義の歴史――小史

### †三位一体論、及びそれをめぐる論争の端緒

　ここでキリスト教の教義（特に三位一体論）の歴史を簡潔に回顧しておくことは無意味でないだろう。三位一体論の端緒を成したのは、父なる神と子なるキリストと聖霊が共に神として崇められるという、教義というよりむしろ心性（信仰心）だと言ってよく、それ自体は、次の言葉に窺われるように最初期から見られたと言えるかもしれない。

　主イエス・キリストの恵み、［父なる］神の愛、聖霊の交わりが、あなたがた一同と共にありますように。（二コリント一三・一三。［］は戸田の補足）

　そして他方で、イエス・キリストは明らかに人間だったので、同一の存在が同時に神であり人間であることをどう説明するか、また、父なる神と子なるキリストの関係をどう理解するか、といった点が、論争の際には特に焦点になったと言える。

以下、多少具体的に見ていくと、まず三世紀に見られた唯一神論的潮流の中には、イエスは自らの洗礼の時に聖霊が下ったことによってキリストとなり、言わば神の「養子」とされたのだとする「養子論」や、神は一つなのであって時に父、時に子として顕現するのだとする「様態論」があった。無論これらは、前者はキリストの神性を危うくするということで、また後者は例えば父と子の違いをなくしかねないということで、それぞれ異端とされた。

## †アレイオス派論争

次に、下って四世紀にはいわゆるアレイオス派(あるいはアリウス派)論争が勃発した。対立の一方の担い手だったアレクサンドリア教会の司祭アレイオス(生年不詳〜三三六)は、子すなわち生まれる者には存在の初めがあるはずで、よって「子[なるキリスト]」の存在しなかった時があった」はずだと考え——この考えに従えば、子なるキリストは被造物ということになり、父なる神に対して従属的な地位にあることになる——、これに対して、アレイオスの考えはキリストの神性を損なうとして反対したのがアレクサンドリア司教アレクサンドロス(生年不詳〜三二八)だった。なお、この論争との関連でよく引き合いに出されるアタナシオス(二九六頃〜三七三)は、アレクサンドロスの後継者として三二八年に司教となり、アレイオス派的なものと生涯闘った闘士だった。

アレイオス派論争は四世紀の一〇年代には地中海世界の東半分全体の教会を巻き込む大論争となり、教会の分裂は深刻なものになっていた。そしてそこへ、西方から次第に支配領域を広げつつあったローマ皇帝コンスタンティヌス一世（生年不詳〜三三七）が、帝国の支配者としてやって来た。コンスタンティヌスは、一説によれば三一二年ごろに神秘的な体験をしたことを契機にキリスト教へと改宗したとされる、有名な皇帝である。コンスタンティヌスは、自らが帰依する力づよき神のご機嫌を万万が一にも損ねないよう、教会の一致を図ろうと思い立った。実は彼はこれ以前に、教会内の穏健派と厳格派の争いと評しうるいわゆるドナトゥス派論争を収拾するべく、教会政治に介入したことがあったのである——結局はうまく行かなかったのだが。かくて皇帝の肝煎りで帝国各地の司教など教会指導者たちが一堂に集められ、教会会議が開催された。これが有名な三二五年のニカイア公会議であり、そして、父と子は同一本質（ホモウーシオス）であるという定式が用いられるなどして、アレイオス派を排除する形で教義論争の決着が図られた。

だが、その後も論争は色々な形で半世紀余りの間続き、三八一年にローマ皇帝テオドシウス一世（三四七頃〜三九五）のもとで再び公会議が、当時帝国の首都となっていたコンスタンティノープルで開催され、正しい教義を言い表したものとされる信仰箇条が採択された。これは今日ニカイア・コンスタンティノープル信条と呼ばれ、キリストは被造物でなく（父から）生まれたのだと明示されるなど、キリストの神性を明確にする文言が織り込まれている。そしてこの信条は、今日でもカトリック教会など多くの教会で礼拝の際に信仰告白のために使われることがある。つまり、この信条は教義論争における一つの到達点だった、と解釈することが可能である。

## †キリスト論論争

しかしながら実際には、教義論争はなお終わらなかった。そして四世紀末以降では特に、キリストにおける神性と人性の関係（いわゆるキリスト論）、換言すれば、キリストが神であり同時に人であるということはどう理解すればよいか、をめぐって議論が展開された。

特に有名なのは、アンティオキア学派の流れを汲むコンスタンティノープル司教ネストリオス（三五一以後〜四五一以後）と、アレクサンドリア司教キュリロス（三七八頃〜四四四）の対立であり、キリストの神性と人性の分離を強調したネストリオスに対して神性と人性の合一を強調したキュリロス——キュリロスの議論はのちのいわゆる単性論派へとつながることになる——が勝利した、というのが第三回公会議である四三一年のエフェソス公会議の結果である。但し、この時のキュリロスの勝利は教会政治上の駆け引きの結果もたらされたとの感が強い。

そしてこのあともキリスト論論争は続き、西方のローマ司教をも巻き込む形で事態が展開したあと、第四回公会議であるカルケドン公会議が四五一年に開催され（カルケドンは海峡を挟んでコンスタンティノープルの対岸の町）、カルケドン信条なるものが採択された。ただこの段階に至ると、信条における教義的定式化は既に煩瑣・精緻を極めており、キリスト論との関連では例えば次の表現が見られる（デンツィンガー編『カトリック教会文書資料集』六九〜七〇頁）。

（前略）［イエス・キリストは］神性を完全に所有し、同時に人間性を完全に所有する。真の神であり、同時に理性的霊魂と肉体とから成る真の人間である。神性において父と同質であるとともに、人間性においてわれわれと同質である。（中略）神性においてはこの世の前に父から生まれ、人間性においては終りの時代にわれわれのため、またわれわれの救いのために、神の母（テオトコス）処女マリアから生まれた。同じ唯一のキリスト、主なるひとり子であり、二つの本性《ほんせい》において混合、変化、分割、分離せずに存在する。この結合によって二つの本性の差が取去られるのではなく、むしろ各々の本性の特質は保存され（後略）

傍線部は原文では「〜でない」という単語（副詞）の四連発だが、では一体二つの本性（神性と人性）はどう関係しているのかと言えば、結局のところわからない。なぜなら、肯定的な規定が存在しないからである。十全な意味で規定するすべがないので、否定の副詞の四連発となったのだろう。言うまでもなく、物事を十全な意味で規定するには肯定形を用いねばならないのであり、否定形によって可能なのはせいぜい、物事の範囲・限界を示すことでしかない。

ところで、カルケドン信条のこの規定は、神性と人性の合一を重視する人々からは疑わしいものとみなされ、そこでこの公会議を契機としてエジプトやシリアやアルメニアなどに於いて、いわゆる単性論派の教会がその他の教会から分離することになっていくのだが、それはともかく、イエス・キリストの教えとこの信条の教義との間の開きがどれほど大きいかは、もはや改めて論じるまでもないだろう。そして、見られるような議論を行なう際の基礎を成していたのが古代の哲学——より正確には古代の哲学的人間論——だったということも、改めて論じるまでもないだろう。

## †教義の硬直化——をめぐって

そして、こののちもさらに教義論争は続くが、かくも複雑でかくも取り扱いが厄介になった教義は、特にこの論争の伝統をまともに受け止めたビザンツ帝国（のキリスト教）においては、全くの硬直化へと行き着いた。二〇世紀ドイツ・ビザンツ学の泰斗ベックはこれを次のように言い表している（『ビザンツ世界論』一四六〜一四七頁）。

（前略）この正教（オルトドクシー）は、その概念の網の目が詰まれば詰まるほど、より一層危険になり、それは次第に、教説の源泉たる聖書及び原始キリスト教の伝承との、自由かつ創造的な対質の放棄ということを帰結した。これ以降聖書は大幅に、宗教的霊感の源泉でなく、これこれの解釈が可能な証拠箇所の宝の山となる。ニカイア以前の神学の多くは、五・六世紀の概念性の高みに在るとはもはや言えないので、忘却に付される（写本伝承がこれを証する）。かくて神学的思考の試みの多元主義は消滅し、いったん彫琢された定式はそのつど排他性要求を掲げた――定式それ自体の不毛化を必然的に帰結せざるをえない、これは要求である。激しい仮借ない闘争の後で最終的に確保されたものは、全時代を通じて（追放を用いてでも）保護されねばならない。その内容を自由な解釈に委ねるのはよろしくなく、以後、得られたものの新鮮な再考でなく、むしろそれを墨守し他人の頭に叩き込むことが、神学者の使命となり、教義上のレパートリーは「武器庫」となる。かくて、危険視された定式自体への従事が危険となる。それら定式は、さらなる宗教的活性化がほぼ不可能であり、（後略）

これが「キリスト教のギリシア化」の帰結の重要な一つ――すべてでないとしても――だったことには、疑いの余地がない。

付言すると、地中海世界全体を支配したローマ帝国のうち、いわゆるビザンツ帝国は、もちろん実際にはローマ帝国の直接の継続なのだが、とはいえ便宜上、東側を勢力範囲としたと言うことができる。そのビザンツ帝国においては今述べたような教養的硬直化が起こり、そしてこれは、一五世紀にビザンツ帝国が滅亡するまで続いたと言って過言でないのだが、これに対して西側、つまり今日の西欧の地域では、そのような硬直化は見られなかったと言うことができるかもしれない。これに関しては、西欧ではいわゆる西ローマ帝国の滅亡というこれまた歴史上有名な出来事があり、そして知的伝統の、全き断絶とまで言わないでも、明らかに不連続が存在した。このこと、言い換えれば知的水準の低下が、古代末期から中世初期にかけて西側で教養的硬直化が起こらなかったことと関係しているのかもしれない。

そして、ずっとあとになって中世盛期のいわゆる一二世紀ルネサンスを経て、西欧では、アリストテレスの著作から大きな影響を受けて、スコラ学という形でキリスト教の神学が巨大な発展を遂げることになり、これはこれで「キリスト教のギリシア化」と評することができなくもないのだが、ともあれ西欧においてこのような発展が可能だったことは、今述べた教養的硬直化の不在と何らか関係があるのかもしれない。

## 4 「哲学」としてのキリスト教

### †生き方としての哲学と、キリスト教

さて、以上の話を受けて、キリスト教のギリシア化とは要するに神学的議論の哲学化なのではないかと思う読者もいるかもしれない。実際、筆者自身、ほとんどそう言ってしまいたい気もする。しかし、筆者の誤解でなければ、いわゆる教父など古代のキリスト教著作家たちによって盛んに行なわれた、神をめぐるこのような議論自体は、哲学それ自体というよりむしろ、あくまでも神学の議論だったのである。付言すれば、古代の「神学（テオロギア）」は現代の神学（テオロギー）とはもちろん全く異なり、端的にはそれは「神に関する言説、神論《かみ》」だった。

さらに付け加えると、「哲学（フィロソフィア）」という言葉が新約聖書に出てくるのはコロサイ二・八「空しいだまし事の哲学によって、人のとりこにされないように気をつけなさい」においてのみで、見られるように「哲学」という言葉は否定的な文脈で使われている。

ならば、古代においてキリスト教は、哲学とは全然異なるものだったのか。実は、異なる文脈では、キリスト教を哲学と称することは現に見られた。文脈の異質性を際だたせる例を挙げ

るなら、古代において哲学者と称されたキリスト教徒とは例えば修道者だった。ここで言う修道者とは、砂漠の隠遁者を始めとして、俗世を放棄し――したがって、結婚を諦めたり財産を放棄したりして――そこから隔絶し、禁欲主義的な生活を送りつつ、ひたすら神へ、また自分の救いへと、思いを潜めた人々のことである。なお、中世以降の西欧に見られたような学僧は、古代のこの時期には、存在したとしても全く例外的だった。

なぜ、往々無学だった修道者たちが哲学者と称されたのか。この点は、古代において哲学がそもそも何だったかにかかわる。すなわち、フランスの古代哲学研究者P・アドによれば、現代におけるのと異なり古代においては、哲学は単に思弁されたところのものだっただけでなく、その思弁に従って生きられるところのものでもあった。つまり、自らの哲学に従って当の哲学者がいかに生きるかこそが問われたのであり、そして例えば、地上的な財産に対して恬淡とした態度をとるといったことは、確かに哲学者にふさわしい生のあり方だと古代では通例みなされていたようである。古代哲学が生き方をも巻き込むものだったというこの点を、アドは特に一九九五年刊行の著書『古代哲学とは何か』（日本語訳は準備中との由）でもそれ以外の著作でも、繰り返し力説している。なお、同書の冒頭でアドが、自著の立場と全く隔たっている著作としてドゥルーズ／ガタリ『哲学とは何か』（日本語訳は河出文庫）を挙げているのは興味ぶかい。口舌の徒とは一線を画したかった、ということなのかもしれない。

とは言いながらも、初期の修道者について多少とも勉強したことのある者としては、アドが上掲書の中で引き合いに出しているポントスのエウアグリオス（三四六頃〜三九九）やガザのドロテオス（六世紀）といった人々は、修道者の中でも知的であって比較的上品な、言わば洗練された人々だ、という印象が否めず、そして修道者たちの多くはもっと遥かに無学で粗野であり、中には粗暴な人々すらいた、と言いたくなる。とはいえしかし、彼ら初期の修道者の生き方や言葉から多くの知恵を学びとることは実際可能であり、そのことは例えば『砂漠の師父の言葉』（あるいは『師父たちの金言』）と称される書物を一瞥すると、確かに納得できるものがあると言ってよいのではなかろうか。

## †おわりに――「蛮人の哲学」としてのキリスト教

しかし、修道者の生き方がすなわち哲学であるという図式を持ち出したことで、本章は少々行き過ぎてしまったかもしれない。というのも、修道者の生き方を哲学と称する時の「哲学」とは、古代ギリシア語の「哲学（フィロソフィア）」の用法と密接に結びついた言い方であり、これに対して本章で言う哲学とは、冒頭で述べたように「哲学」の現代の語義に従って、本来的には窮理の営みのはずだからである。そこで立ち返って最後に改めて問うとして、キリスト教は一体、哲学だったのか、そうでなかったのか。

もとより窮理の意味ではキリスト教は哲学でなどない。が、その前提の上で、本章で縷々《るる》述べてきたことも踏まえて述べるなら、古代においてキリスト教は「蛮人の哲学《バルバロス・フィロソフィア》」だった、と言っておくのが妥当なのではなかろうか――もちろんこの表現にしても、言うところの「哲学」は古代の語義と現代の語義のどちらに近いのかと問われれば、前者に近い、ということになるのだが。

二世紀から三世紀初頭にかけて活動したアレクサンドリアのクレメンス（一五〇頃～二一五頃）などが用いているこの表現は、キリスト教に当てはめられた場合、当然ながら、何らかの卑下を意味しているのでは全くなく、むしろ「ギリシア人の哲学」に対する強烈な対抗意識を含んでいると理解できる。すなわちこの「蛮人の哲学」は、ギリシア人の哲学と同じ意味で哲学なのでは決してなく――なぜならキリスト教はどこまでも、啓示による知識の重要性を強調するので――、しかもそれは、ロゴスであるキリストを全的に所有しているゆえに、知的に見てもギリシア人の哲学より優れているのだ、と。

**さらに詳しく知るための参考文献**

＊本章は拙稿「いわゆる「キリスト教のギリシア化」をめぐって」（『キリスト教学』立教大学キリスト教学会、五九〔二〇一七〕所収）を基にしており、同論考をご覧いただくのが本章の理解のためには最も

有効だが、必ずしも入手しやすい文献ではないので、以下、書店或いは古書店で入手可能な文献を挙げることにする。

ハンス＝ゲオルク・ベック『ビザンツ世界論——ビザンツの千年』（戸田聡訳、知泉書館、二〇一四年）……「ギリシア化」と、その結果としての教義的硬直化とについて引用したが、その他、古代キリスト教の時代的背景としてのローマ帝国（ビザンツ帝国）についても興味ぶかい説明が見られる。

A・H・M・ジョーンズ『ヨーロッパの改宗』（戸田聡訳、教文館、二〇〇八年）……ニカイア公会議が開催されるに至った件、特にそのことへのローマ皇帝（コンスタンティヌス一世）のかかわりについて、極めて興味ぶかく描いている。

『園部不二夫著作集　第三巻　初代教会史論考』（キリスト新聞社、一九八〇年）……キリスト教の教義史について、日本人の筆に成るものとしては今なお最良。

『砂漠の師父の言葉』（谷隆一郎・岩倉さやか訳、知泉書館、二〇〇四年）……「生きられた哲学」としての修道制との関連では、本書をまず挙げておきたい。ただしもちろん、これ自体は本来的な意味での「哲学」を表しているわけではない。

第4章
# 大乗仏教の成立

下田正弘

## 1　本章の問題系――歴史哲学としての問い

### †「大乗仏教の成立」問題とはなにか

ヤスパースのいう「枢軸の時代」の中心のひとつに仏教がある。紀元前五世紀のインドに出現したこの世界宗教は、一五〇〇年を超える歴史をかけて、西洋との比較においてはもとより、アジアのなかでも独自の思想体系を構築していった。

仏教の思想は大乗仏教の出現によって飛躍的に発展した。このあらたな仏教は、アジア広域に伝播して大きな影響を与えたのみならず、インド古来の宗教に対しても哲学的考察の深化をうながした。一九世紀以降、ヘーゲルをはじめとする西洋の哲学者たちは、インドにおける哲学の存在に注目しはじめたが（H・V・グラーゼナップ、大河内了義訳『東洋の意味』法蔵館）、その深化の重要な機縁となったのが大乗仏教である。

井筒俊彦(一九一四〜一九九三)が認めているように、東洋における哲学という名にふさわしい思想は、大乗仏教において開花したといってよいだろう。たとえば、その代表的存在である中国における朱子学の誕生には、大乗仏教の華厳思想が影響を与えている。くわえて、中国が「近代」へと転換する象徴的な事件である辛亥革命において、如来蔵《にょらいぞう》思想を説く『大乗起信論』という小編の仏典が、西洋哲学に対抗する独自の思想書として、梁啓超《りょうけいちょう》(一八七三〜一九二九)や章太炎《しょうたいえん》(一八六九〜一九三六)など革命の指導的役割を担った者たちの理論的支柱になったことも、それをものがたる事例である。

本章は、紀元前後よりインド亜大陸において顕在化した大乗仏教の成立の問題に焦点をあて、その思想的特徴と成立の経緯を探ってゆく。このテーマは、現在にいたるまで学界における最大のなぞのひとつであり、さまざまな仮説が登場しながらも、いまだに定説は存在しない状況にある。

「世界哲学史」という叢書のなかでこのテーマを取りあげるのは、大乗仏教の成立をめぐる考察が、一つの歴史認識はいったいどう構成されるか、という歴史哲学のテーマとなるからである。古代インドにおける歴史現象としての大乗仏教は、当初から存在していたひとつの事実を現在の意識が事後的に把握する、という単純な図式において理解しうるものではない。その現象が研究者に出現する過程は、残されたさまざまの事実や、なによりテクストから、大乗仏教という知が構成される過程に重なりあっている。

一見すると、事実と観念とを混同させるレトリックに聞こえかねないこの理解は、一九六〇年代以降、人文学全体が直面させられた歴史学における言語論的転回という重要な課題である。歴史を描こうとする主体の側の意識の形象化と歴史的現実という対象の形象化とは、両者を媒介するテクストの形象化として成立する。

## †二分された現在の仏教世界

過去に対する認識への志向は、現在に対する問いかけに発する。いま現にそうであるところの現実の様相が、より正確にいえば、現在に遺された痕跡の布置が、いったなにゆえにそうであるのかという問いをいだき、その回答を過去に求めるところに生まれる。ここで真に問われるべきは、現在の根拠を過去に求める認識の正統性である。本章の中心テーマであるこの問題はのちほど考察するとして、まずは常識の見るところにしたがって、仏教の現在を概観するところからはじめよう。

現在の仏教世界は、中央アジア、チベット、東アジアに流布し、ときに北伝仏教とも呼ばれる大乗仏教と、東南アジアを中心に流布し、かつては小乗仏教と呼ばれ、現在、上座部《じょうざぶ》仏教、テーラヴァーダ仏教、ときに南伝仏教と呼ばれる二つの仏教圏に判然と分かたれている。

現存する資料という点から見るとき、大乗仏教と上座部仏教のあいだの主要な相違は、それぞれが有する経典の種類と数とにある。大乗仏教は上座部仏教が有する仏教経典のほかに厖大な数の大乗経典を有している。大乗経典には、空《くう》思想、唯識《ゆいしき》思想、如来蔵思想――さらに発展した密教思想――など哲学的に深化した種々の思想がおさめられていて、仏教思想家たちはこの経典の内容にもとづいて思想を体系化していった。大乗仏教が伝播した東アジアやチベットでは、こうした教義内容に応じた儀礼、信仰、制度を有し、東南アジア諸国にはみられない特徴を示している。

この差異は、伝播した先の国や地域の特性によって事後的に付加されたものではない。それぞれの仏教圏の内部には、言語、歴史、社会、文化においてさまざまな相違が確認されるにもかかわらず、仏教の特徴のみは、ほぼ二分されているからである。これは発信元の古代インドにおいて、ある時期に異なった様相の仏教が存在し、それが伝播先に選択的に取り入れられた結果と見るのが穏当である。

## †初期仏教思想と大乗仏教思想

ここで仏教一般と大乗仏教について、それぞれの思想の特質にかんたんにふれておく。ひとは、生まれ落ちたこの世界のうちに、永遠にして理想的実在を見出そうとする。来世における生命を約束する宗教の出現も、その企図の延長上にあるものと見てよいだろう。だが、ブッダは、自然状態でつくりあげられるこの現実を、根源的な無知、すなわち無明に覆われた意識によって構成された迷妄と見なし、その闇からの解放を説いている。自然状態とそこからの解放という視点を有する仏教にとって、世界は解放以前と解放以後という二元的様相として存在する。

この二つの世界のなりたちと関係を分析し、思想を体系化したのが大乗仏教だった。初期仏教においては、この世界は自己の自由になるものなどどこにも存在しない「無我」なるものであり、恒常的秩序などありえない「無常」なるものであると説くに留まっていた。言説によって覆われる範囲が、この世界にのみ限定されていたのである。しかるに大乗仏教になれば、迷妄から解放されて以後の真実の世界——それは煩悩に対して菩提、輪廻に対して涅槃、此岸に対して彼岸、衆生に対して如来、などの概念で指示される——をも言語化し、その存在次元を組み込んだ思想を構築していった。

大乗仏教の思想は、空思想、唯識思想、如来蔵思想として現れた。空思想は、真実の領域に、究極的真実（勝義諦《しょうぎたい》）と世俗的真実（世俗諦）という二領域を立て、仏の教説もふくめ、言語化され、歴史化された存在を世俗的真実ととらえ、歴史現象を超え究極的真実としてとらえられる、メタ次元の仏教を明示した。ついで現れた唯識思想は、実在の様態について、迷妄的本性（遍計所執性《へんげしょしゅうしょう》）、関係的本性（依他起性《えたきしょう》）、究極的本性（円成実性《えんじょうじつしょう》）という三つを設け、空思想において深化した言語論を、認識論と存在論に集約させるかたちで思想を体系化した。それに対して如来蔵思想は、完全なるさとりに到達した如来の智慧によって衆生の内なる心性を観察し、未来に実現されるべき如来の様相を衆生の現在に予言的に先取して示し、空思想と唯識思想において展開された言語論、存在論、認識論を、救済論に包摂した。

こうした思想発展を遂げた大乗仏教を、初期仏教やそれを継承する上座部仏教と比較したとき、そのもっとも顕著な差異は、言語論の深化に認められる。上座部仏教が思想の要素を、無常、無我という初期仏教の言説の段階の概念で留めておくことができたのは、その思想を実践的行為に委ねることによって、言語論を深化させる努力から免れたためである。それに対して大乗仏教は、実践的行為のみならず、救済という結果までも、知の運動の一環として言語化していった。

大乗仏教と上座部仏教とのあいだの言語論における深化の差異は、両仏教圏に見られる経典の差異、すなわち大乗経典の有無が影響している。仏教における思想解釈は、最終的に経典の言説に根拠が求められ、それによって思想全体の基本構成が決定される。では、大乗経典はいかにして成立したのだろうか。次節において、大乗仏教の成立についてこれまでの学説をふりかえりながら整理しておこう。

## 2　大乗教団の不在とテクストとしての大乗仏教

### †大乗教団の想定

大乗仏教の成立という問いに対して、これまで研究者は、現在の世界において確認される差異を反映するかたちの制度的差異を有した仏教が、実態として古代インドに存在していたと想定した。眼前に歴然と展開する二つの仏教圏を前提とすれば、自然な発想であろう。

大乗仏教の起源について、古くから示されてきた説に、大衆部《だいしゅぶ》起源説と在家起源説という二つがある。前者、大衆部起源説は、出家者教団の一つである大衆部という部派に伝承される教義内容が大乗仏教の思想にさまざまな点で近いこと、後代のインド仏教の典籍においてもそれが事実として確認されていること、こうした理由から、大乗仏教はこの部派から出現したと見る説である。けれども、現在確認される諸資料によれば、大乗仏教は説一切有部《せついっさいうぶ》など他部派とも深い関係をもっており、大衆部のみにその起源を特定することはできない。

後者、在家起源説は、仏教の伝承系譜に出家者と在家者という異なる二つの系譜を予想し、このうち在家者の仏教系譜が大乗仏教の運動を興したと理解するものである。この仮説は、一九世紀後半の西欧に起源を発し、いくつかの支流に分岐しつつ、現在にまで受け継がれてきている。ことに日本では、僧院と異なる仏塔を経済と信仰活動の基盤とする在家教団の存在を予想した「在家＝仏塔起源説」が平川彰によって一九六〇年代に提唱されて以来、九〇年代まで定説の位置を占めてきた。大衆部起源説とは異なり、大乗仏教の起源を思想的要素ではなく、社会的要素に求めたところに仮説の斬新さがあった。

ところが、一九七〇年代末から在家＝仏塔起源説に対する批判が欧米において現れてきた。仏塔信仰の宣説や在家に向けた功徳積聚《くどくしやくじゆ》の勧めは、考古学的証拠によるかぎり、主流の仏教系譜に見られる特徴であって、大乗仏教は、反対に厳しい出家者の理想を掲げ、在家に依存して制度的な安定を図る僧院仏教に対する批判をなし、阿蘭若《あらんにや》という「森林」修行所を称讃する。それは苦行を宗とした釈迦の時代の理想に戻ろうとする復古運動として解釈されるという。

ところが、九〇年代以降、欧米では支持を集めてきたこの仮説に対しても、近年になって反論がなされ、これは一部の経典の特徴のみを拡大解釈した誤りであるとして再考を迫られている。

このほか、冥想における意識変革の経験を中心に据えて運動の起源を理解する説、宣説者である法師（ダルマバーナカ）による運動を想定する説、教団の分裂に対する定義の変更によって生まれたとする説、悪業を払拭する儀礼の執行をなす共同体を根拠として成立したとする説などがある。いずれも広く支持されるにいたっていない。

## †独自教団の存在が確認しえない大乗仏教

以上の仮説はいずれも、大乗経典の外部に、経典の内容に相応する教団の存在を予想する点で一致している。ところがここに大きな問題がある。考古学的資料をはじめとする歴史資料にまったく合致しないのである。

第一に、大乗経典は、近年、ガンダーラから出土した写本の年代からして、紀元前後には北インドに存在していたのに対し、古代インド史において歴史的実態を立証する第一の根拠とされる碑文が示す大乗教団の存在は、紀元後五、六世紀まで時代を下る。長期にわたって大乗経典のみが存在し、教団の存在が確認されるまでに五〇〇年もの空白がある。

第二に、僧院や仏塔の発掘跡や他の考古学的事物も、大乗仏教教団の不在を示唆する。五世紀までの建築の結構や出土した遺物の特徴の解釈については、議論が決着していない、インド・マトゥラー市西部・ゴーヴィンドナガル遺跡におけるブラフミー文字で記された「阿弥陀仏像」台座の一例を除き、大乗にのみ固有のものは存在しない。寺院の結構は時をかけて大乗化しており、起源を確定しうるかたちで大乗の独立した教団は特定しえない。

第三に、五世紀の法顕《ほっけん》（三三七〜四二二）、七世紀の玄奘《げんじょう》（六〇二〜六六四）、七〜八世紀の義浄《ぎじょう》（六三五〜七一三）など、中国の巡礼僧たちがしるすインド求法の見聞記録も同様の証言をする。大乗と小乗の僧侶は、多くのばあい同一の僧院に居住し、同一教団のうちにある。両仏教は、読誦される経典や礼拝の対象となる仏像や菩薩像において相違が見られるものの、社会制度としては区別がない。

第四に、大乗仏教が他の部派と同様の教団として自立するためには独自の戒律を定めた律蔵を有していなければならないが、それは存在しない。大乗仏教を既存の教団と認識した中国において、時代を下って『梵網経《ぼんもうきょう》』という戒律の典籍が偽作されたことは、大乗仏教の制度的存在の根拠の不在がいかに不都合を来したかを示している。

第五に、最後に、近年の広域ガンダーラ地方から発見された紀元前後に遡る最古のインド語の写本の存在や、六〜八世紀にまで時代を下るギルギットの一経蔵から発見された写本の存在は、大乗経典が伝統経典と併存して保管され、部派内部に存在していたことを明示している。

以上、いずれの事例をもってしても、大乗仏教の起源に独自教団の存在を想定することはできない。ではこの特異な仏教の存在はどこに設定しうるのだろうか。

## †伝承媒体の変容とテクストとしての大乗仏教

事態は単純である。大乗仏教は、その起源には、思想としてのみ、つまりテクストとしてのみ存在していて、独自の教団をともなっていなかった。大乗仏教について洋の東西で共有される特徴は、大乗経典の制作運動である。この運動が外在化された制度に反映しないかたちで進んだことを想定する必要がある。

もっとも有力な可能性は、伝承媒体の変化である。仏教における教説の伝承は、ブッダ入滅以後、三、四〇〇年のあいだは口頭伝承だった。それが紀元前後になって書写の技術が取り入れられたことによって、口伝テクストと書写テクストとの併存状態に変わった。しかして、この伝承媒体の変化は、仏教の知識のありように大きな影響を与えた可能性がある。かつてウォルター・オング(一九一二~二〇〇三)は、知の伝承形態における声から文字への転換を、認識における劇的進化を画期するものとして注目した。それと同様の転換が仏教史上にも起きたと考えられる。

注目されるのは、教説と伝統の正統性についてのあらたな意識の誕生である。口頭伝承において、聖典の存在は、それを記憶し発話する人の存在に重なり、聖典の聖性と正統性は、伝承者の聖性と正統性とに重なっている。三〇〇〇年におよぶヴェーダ伝承の伝統を有する古代インドにおいて、バラモンという司祭階級が聖別視されてきたいわれは、ここにある。これは仏教においても同様で、長期にわたって、法師と呼ばれる伝承者が経典の存在そのものだった。

しかるに書写されたテクストが出現し、人から独立したとき、聖典性の所在がテクストに移行し、テクストに結実しはじめる。

初期経典に比して大乗経典は、旧来の伝統に対する強い批判とあらたな伝統の樹立に対する意識がきわだっている。研究者はこれを口頭伝承の世界での対立と見なしてきた。けれども、口伝の世界において正典の存在は共同体の存在と不可分であり、批判を持続的になりたたせるためには、別教団を有していなければならない。前項で確認したように、それはインドでは起きていない。大乗経典に現れる伝統批判は、書かれたテクスト、すなわちエクリチュールの次元から、声の言語、パロールに向けてなされている。この両者は異なった次元に存在し、現実において衝突せず、相互に共存可能である。

残された資料と現在までの研究を踏まえるなら、大乗仏教の成立について以下の見通しが立てられる。紀元前後のある時期、書写経典が出現するとともに、伝承の起源の正統性や、歴史現象となったブッダのことばのもつ正典性についての問いが、一部の編纂者のあいだに現れ、それまでの経典の保存活動が、以前の知識を解釈しなおし、あらたな経典へと転換する経典の創成運動へと転じられる。テクスト内部に開始されたこの動きは、やがて経典の外部世界にも影響を与え、現実の仏教世界を変容させるにいたる。紀元前後の大乗経典の出現から、紀元後五、六世紀の碑文における大乗教団の出現までのおよそ五〇〇年の間に、こうした運動が進行していった。

この理解を、学界が現在まで努力を傾けてきた大乗仏教の教団史解明という視点から見なおすなら、特定の儀礼や戒律や修行の形態を有する大乗仏教の共同体があらかじめ存在し、それを反映させるかたちで大乗経典が生み出されたのではなく、大乗経典というあらたなテクストの創成活動の結果、それに相応した儀礼や修行の形態をともなう大乗教団がテクストの外に生み出されるにいたったという、従来の学界理解とは正反対の結論になる。

## 3　大乗経典研究と歴史研究

### †仏教学の方法と歴史学の方法

既存の仏教の正統性を批判し、独自の教説の意義を強調する大乗経典が、それに相応する教団的実態をもたず、反対に事後的にその言説に相応する現実を構成していったという仮説は、これまで仏教研究者は立てたことがなかった。ここには、思想を下部構造に規定された上部構造と見なし、テクストの内実を社会環境の反映であると理解する近代の歴史研究の姿勢の強い影響がある。

これまで研究者は、大乗経典がだれによって書かれたのか、どんな宗教的社会的環境で編纂されたのか、著者の意図はどこにあったのか、こうした問題を解明の対象とし、経典の内容から、その著者をめぐる問題を引き出そうとしてきた。この方法がはたしてどの程度に有効なのか、ヘイドン・ホワイト（一九二八〜二〇一八）、ジャック・デリダ（一九三〇〜二〇〇四）、ポール・リクール（一九一三〜二〇〇五）など、一九六〇年代以降に歴史学における言語論的転回を牽引した思想家たちの議論を踏まえながら再考する必要がある。

まず、仏教研究者が実際にどのような方法で対象を解明しているか、ふりかえってみよう。たとえば『法華経』を読解するさい、研究者は、サンスクリット語写本について、六〜八世紀のギルギット写本、九〜一〇世紀のカシュガル写本、一二世紀のネパール伝承の写本をもちい、漢訳について、中国三世紀の竺法護《じくほうご》や五世紀の鳩摩羅什《くまらじゅう》が翻訳したテクストを利用し、さらに九世紀前後に訳出されたチベット語訳テクストを照合し、これに加えて、一九〜二〇世紀に書写記録がある東南アジアのパーリ語テクストを利用する。こうした資料を総合して読解可能なテクストをしあげ、諸言語訳を対照したレキシコンをつくることによって、思想研究の基礎を整える。

字形の時代的・地域的特性と推移、音の継時的・地域的変化、書写伝承の過程で起こる錯誤・再訂正・過剰復元、時空環境と言語環境の変化にともなう語彙の広がりと意味の変容などを考証する基礎作業を、研究者は歴史研究として意識する。だが、地域、時代、言語等、かくも広範囲で多様な資料を駆使し、関連する他のテクストや翻訳をも考察対象としてテクスト理解の場を構成する企図は、時空の特定可能なテクスト外部のできごとを構成するものではない。

歴史学においてテクスト内部の言説は、テクスト外部の力によって生みだされた結果としての二次的な産物であり、解明の対象となるのは、テクストの言説を生み出した原因となる外の力のほうである。しかるに仏教学でなされていることは、個々のテクストがその特異性をもって存在することを示すための意味の場の構成である。歴史研究におけるテクストが「歴史のなかのテクスト」だとすれば、時空を超えた領域から招集させられたテクストの集合体から見えてくる歴史は、「テクストのなかの歴史」である。

仏教研究者は、この二つの歴史を、ほとんど区別することなくやってきた。そのため、描かれた歴史が、しばしばきわめて曖昧なものになっている。それはたしかに無理からぬことでもある。というのも、ホワイトが指摘しているように、歴史家が歴史の場で直面している事態は、文法学者が新しい言語を前にしたときと同じ具合なのである。歴史家は、歴史の場の史資料に表現や説明のための概念装置を適用する前に、その歴史の場を形象化し、精神的な表象の対象として構成しなければならない。歴史家の問題は、語彙的、文法的、構文的、意味論的な次元を包摂した言語論的基本要素を構成することである(ヘイドン・ホワイト、岩崎稔監訳『メタヒストリー――一九世紀ヨーロッパにおける歴史的想像力』作品社）。これは、本性として仏教学者が遂行していることに重なっている。

### †著者の意識の抽出という課題

テクストの言説を相手にしながらそこに歴史を意識するという問題は、言語と存在との関係に関わり、デリダが追究したエクリチュールの本性にかかわっている（林好雄訳『声と現象』ちくま学芸文庫、および、合田正人、谷口博史訳『エクリチュールと差異』法政大学出版会）。

研究者が経典を読むとき、意識の内部が触発され、表象や意味印象が生まれ出ては変じてゆくのを経験する。この経験は、経典内部の言説とそれを読む研究者の意識との二者のあいだにおいて、外部のいかなるものごとも介在させることなく起きている。ところが研究者は、意識内に出現する表象や意味印象を、経典の外部に実在する事物や事件を根拠として生まれ出ているものととらえてしまう。経典の言説というシニフィアンと、読者のうちに喚起される意味印象というシニフィエのほかに、外部に実在するものごとというレフェランを求めるのである。表象や意味印象が真正なものであれば、それはこの外界の指示対象という現実に起源をもつ――根拠の不確かな確信を、読み手である研究者はいつしか懐いてしまう。

表象の根拠として言説外部の実在が立てられるとき、その有力な候補は、過去の経典の書き手が経典の言説によって指示あるいは暗示しているとみなされる「過去の事実」である。先に述べた、大乗経典の言説内容の読解にもとづく大乗仏教の起源説はすべて、シニフィアンとシニフィエを超出した外界の実在の確信にもとづいている。ここには経典の言説外部にあったはずの「事実」を根拠として経典の作者によって言説が生み出され、さらにその言説によって研究者の意識のうちに表象が生まれたという理解がある。

けれども、ここに設定された「過去の事実」の正体は、経典の言説と研究者の意識のあいだに生まれた表象が、仮想された経典作者の意識内部へと移動させられ、そこを通過したのちに、さらに仮想作者の意識の外へと押し出されたものである。それは二度の意識の出入りを経る過程でいつのまにか「過去の事実」という衣装を纏わされた、出発点の表象にほかならない。つまるところ、このプロセスは手の込んだトートロジーでしかない。

研究者が、このレトリックの陥穽に無意識裏に陥ってきた経緯を解明するためには、言語における指標機能と表現機能の差異、表象とその根拠と誤認される外界との関係、意識に「現前する」がごとき「実在」のあつかいという、西洋形而上学が歴史をとおして精確な弁別をなしえなかった重要な問題に配慮しなければならない（下田正弘「エクリチュール論から照らす仏教研究」『インド哲学仏教学研究』二七、二〇一九年）。

## †過去の復元という課題

それにしても、「現在」存在する痕跡のうちに「過去」を読み取ることは、どのようなしくみによって可能となっているのだろうか。さまざまな歴史理論を対象として、リクールは、同一性、差異性、類似性という三つの観点から分析し、前二者を斥けて最後の立場を認めている（ポール・リクール、久米博訳『時間と物語Ⅲ』新曜社）。

同一性という点において歴史をとらえるロビン・コリングウッド（一八八九〜一九四三）によれば、過去は痕跡を残すことによって生きつづけ、ひとはその相続者となって過去に思考されたことを追体験できるとする。痕跡に向きあう歴史家が、過去に思考されたものを現にふたたび思考しえていると確信しているとき、かれはいわば過去の思考の内部に入り込むことで痕跡と自身とのあいだにあった時間的な隔たりを無化し、痕跡の過去性を廃棄している。この同一性が確保されたとき、眼前の痕跡が過去を表す痕跡となっているという。

だが、ここには二つの問題がある。第一に、この理解にしたがえば、歴史家は自分の行為ではない行為を追体験していることを知ることになるが、私のものとしての過去についての思考と、他なるものとしての過去についての思考はべつであり、無媒介には結ばれない。第二に、追体験が過去のできごととの同一性を実現するのだとすれば、この行為は過去の他なるできごとに吸収され、それ自身のできごととしての固有の意義を消失させてしまう。追体験は、時間的距離を無にすることによって成立するのではなく、過去と現在の時間の間隙にある、過程、習得、合体、発展、批判などの諸条件を解明することによって明確化されるべき独自の行為である。

リクールはつづいて、歴史を「差異性」「他性」としてとらえるポール・ヴェーヌ（一九三〇〜）、ミシェル・ド・セルトー（一九二六〜一九八六）らの立場を検討する。その結果、実体的な過去を排除し、現前するものの心的反復という意味での表象を放棄する点では考慮に価するものの、現在に過去が存続することに積極的な意義を認めない点に限界があるとする。つねに抽象的体系に関係し、脱時間化された差異は、いまは不在で死んでいるがかつては実在し生きていたものの代理をなしうるはずがない。

最後にリクールが評価するのは、比喩論（トロポロジー）によって歴史叙述を明確化するヘイドン・ホワイトの「類似」の立場による歴史理論である。過去の実在性、すなわち既在性が問題になるのは、いま観察されえない、というかぎりにおいてである。現在不在であるものの既在性を探し求めるのに力を発揮する「類推」は、同一性と他性の双方に関連しながらはたらく。過去とは、一方で同一性にもとづいたやりかたで追体験することであるが、同時にわれわれの構成物のすべてが不在で、かつ他性であるかぎりにおいて過去なのであり、歴史はこの両者を満たす言述を提示しなければならない。「〜のようである」事態を言明する「類似」は、「〜である」と同時に、「〜でない」ものでもあり、追体験の力とそこから距離をおく力とを同時に自身のなかに保持している。

過去との向きあいには、痕跡を可能ならしめる過去の存続、われわれを相続者とする伝統、あらたな所有を可能にする保存、これらの要件が整い、考察の対象となることが必要である。そのためには、追体験の同一性から他性へと踏み出し、さらに同一性と他性の双方を弁証法的におさめとる比喩の理論にまでいたる必要がある。

このリクールの考察は、さまざまな比喩に満ち、ブッダが存在した歴史的時間との同一性と他性とを主題とする大乗経典の内容を理解するうえで、きわめて有効にはたらく。大乗経典で問題になっているのは、地上に残された仏教の痕跡から、いかにして仏の真理を真理たらしめている起源に自身が至りつけるか、という課題であり、その問いと応答とが経典のなかに展開されている。これを読み解くことは、おのずとトロポロジーを辿ってゆくことになる。

## †大乗経典の「起源」としての無意識について

最後に、大乗経典はみずからの「起源」をいったいどのように理解しているのかをたしかめておこう。ここで呼び起こされるのは、表象の起源を差延に求めたデリダの議論である。

差延が起源的だということは、同時に、現前する起源という神話を消し去ることである。だからこそ、「起源的」ということは抹消しながら理解しなければならない。さもなければ、差延は、ある充実した起源から派生することになってしまうだろう。起源的なものとは、非‐起源なのである。（ジャック・デリダ『エクリチュールと差異』四一二頁、一部改訳）

この一節は大乗経典がみずからの「起源」に関わる姿勢をみごとに表出している。『法華経』であれ、『般若経』であれ、『無量寿経』であれ、自己の言説の起源に言及するさい、久遠の過去に遡上し、現在の十方世界に飛翔し、遥遠な未来に跳躍して、無数ともいえる仏を求め、歴史現象としての仏教を創始した釈迦という「現前する起源という神話」を消し去っている。仏教の伝統において起源として現前した釈迦なる仏は、あらたな仏の出現によって上書きされてゆく。これほど根源的な仏教の過去の問いなおしはない。

大乗経典の伝承者たちにとって経典とはいったいなにものだったのだろう。デリダが論ずるつぎの一節は、それについての一つの回答になっている。意識されぬままにうち過ぎた過去の心的外傷が、ひとの現在に強大な影響を与えるという問題について、無意識という地平におけるテクストのありようとしてとらえるフロイトを、デリダが追跡し解読する箇所である。

無意識のテクストはすでに純粋な痕跡、差異によって織りなされている。そこでは意味と力とが一体化しており、これはつねにすでに転記であるような複数の古文書によって構成された、どこにも現前しないテクストであり、起源的な版画である。すべては複製によって始まる。換言すれば、つねにすでに、まったく現前したことのない意味の貯蔵庫である。というのも、この意味が指し示す現在は、つねに遅れて、事後に代補として再構成される。（前掲書、四二七〜八頁）

大乗経典の編纂者たちにとって、仏のことばが出現する経典は、すでに顕在化して過去となったことばの意味の容器なのではない。それは「初期経典」がなすように、すでに存在したものを再掲するのではなく、いまだ現れたことのない、「どこにも現前しないテクスト」を提示する。

同時にそれは、仏教の「起源」としての意味を担いうるテクストとして、ニカーヤや阿含《あごん》をさらに遡る「複数の古文書によって構成されて」もいる。大乗経典が初期経典と共通する教説や仏伝を素材とするゆえんである。だが先行する「古文書」は、それじたいが絶対的な起源なのではない。伝統仏教における仏説の起源でさえ、瞑想におけるブッダのさとりの体験という言語以前の経験的できごとに遡られるのであり、言語となった伝承は、その起源の「つねにすでに転記であるような」テクストである。

大乗経典の言説の「起源」は、意識の「起源」である「無意識」になぞらえられる。無意識とは、なにも存在しない意識状態をいうのではない。「無意識のテクストは」、形象化されていない「純粋な痕跡、差異」によって「すでに」「織りなされている」。仏教のあらたな意味がことばとして産出される経典の起源は、瞑想における経験に示されるような、言語以前の、意味以前の、「純粋な痕跡、差異」によって構成されている。仏教におけるあらたな意味は、この痕跡、差異の、事後的発動として生みだされる。

三昧がかつて存在しなかった厖大なことばを生みだすマトリックスであり、「意味の貯蔵庫」であること、これはアンドリュー・スキルトンが『三昧王経』の詳細な分析において論証した内容そのものである。「三昧」は「無意識のテクスト」に比せられ、そこにおいては「意味と力とが一体化して」いる。ことばが不在であるかのように見えながら、無数のことばが萌芽状態で存在している。こうしたエクリチュール性に目覚めている大乗経典の編纂者たちは、顕在的なことばとなった経典は、つねに「起源的な版画」であり、「すべては複製によって始まる」「転記」であることを自覚している。

ここにいう「転記」は、潜在性から顕在性への転換や移行を意味するのであって、ひとつの顕在的なテクストをべつの顕在的な媒体に引き写すことをいうのではない。こうした大乗経典が「指し示す現在」は、「つねに遅れて、事後に」構成されたものである。しかもその「現在」は「代補として再構成」されるものであるから、「付加されるもののようにおもえる」ものの、じつは「補うもの」なのである。

じっさい、一時期、ひきも切らず創出されつづけた厖大な数の大乗経典は、それがつねにあらたに説きなおされてきたことを示している。その作品群全体をみたとき、それらは先行する歴史を「補うもの」として生み出されている。そこには、「起源」において存在しながらも、いまだ現れることのなかった仏教の意味を、あらためて「起源」に立ちもどって、現在における仏のことばとして掘削する鮮明な問題意識がうかがえる。

ここまで至れば、大乗経典が歴史研究という方法によって十分に解明しえないことは、明らかである。このテクストは、仏教が、釈迦にはじまる歴史現象となった過程そのものを問いの対象としている。それは、冒頭に述べたように、歴史を描こうとする主体の側の意識の形象化と、歴史的現実という対象の形象化と、両者を媒介するテクストの形象化とを、同時になりたたせる、ひとつの学知構のプロセスとして把握されるべきものなのである。

## さらに詳しく知るための参考文献

桂紹隆・斎藤明・下田正弘・末木文美士編『大乗仏教の誕生』シリーズ大乗仏教2（春秋社、二〇一一年）……国内外の七〇人を超える研究者によって執筆された「シリーズ大乗仏教」全一〇巻のうちの一巻。大乗仏教起源論についての諸説を紹介した巻で、大乗仏教研究について学界の現状を概観できる。同シリーズの、1『大乗仏教とは何か』、4『智慧／世界／ことば』もあわせて参照することを勧める。

平川彰『インド仏教史』上・下（新版、春秋社、二〇一一年）……インド仏教史全体を概観した優れた仏教史概説。在家＝仏塔起源説にもとづく大乗仏教理解を示した点については修正が必要であるものの、英訳出版もなされ、標準的仏教史として信頼に足るものである。

グレゴリー・ショペン『大乗仏教興起時代　インドの僧院生活』（小谷信千代訳、春秋社、二〇〇〇年）……八〇年代以降世界の仏教研究の流れを一変させた仏教学の碩学による英文の講義を和訳したもの。考古学的資料と文献学とをみごとに組み合わせて古代インド仏教史を構築した注目すべき成果である。

## コラム1 アレクサンドリア文献学

出村みや子

前三世紀にプトレマイオス朝の首都として繁栄をみた古代都市アレクサンドリアは、地中海世界の各地から修辞学、古典文献学、歴史、医学、数学、自然学等の学者を集めて庇護した多文化都市として知られる。ここでは特にホメロス研究を中心に文献学、文法学、解釈学が発展したが、それはこの王朝が範とし、その正統な後継者を自任したアレクサンドロス大王がホメロスを愛好していたためである。ホメロス文献学の成立を辿る上で重要な証言が、アリストテレスの『詩学』と断片的に伝わる『ホメロスの諸問題』であり、これらの著作は特にプラトンのホメロス追放論に示されるような叙事詩に対する批判に応えて、ホメロスの叙事詩を悲劇と同様の文学として評価すべきことを主張している。

若きアレクサンドロスと共にかつてアリストテレスに学んだプトレマイオス一世は、その権力を誇示するために交易によって得た富財をこの都市の文化事業につぎ込み、テオフラストスの弟子であったペリパトス派のデメトリオスを招いて、アテネをモデルとした大図書館とムーセイオン（museum の語源で、学芸の守り神ムーサイを祀る聖域）と呼ばれる研究所を建設し、その収蔵数は五〇万巻とも七〇万巻とも言われる古代世界最大規模の文化事業に着手した。その特徴は文献テクストに焦点を当て、ホメロス叙事詩の標準版を確定し、それらの文学的特徴を分析することにあり、資料収集、分類、目録作成の他に、原典の校訂や注釈、翻訳と写本の制作などが行われた。プトレマイオス八世の時代に多くの学者が国外追放されたことを契機にこの地の学問がローマ帝国の各地に伝播し、新たにユダヤ、キリスト教による聖書文献学が、七世紀にアラブによってこの都市が占拠されるまで発展を遂げた（野町啓『謎の古代都市アレクサンドリア』講談社現代新書、二〇〇〇年）。

それらの原典は現存しないが、後年作成された写本に記されたスコリア（欄外の註）の中にかなりの数の断片が残されており、今日それらは批判的校訂版を通じて知られる。間接資料ながらもスコリアによって、ホメロス学者のアリスタルコスや、彼の後継者のゼノドトス、ビザンティウムのアリストファネスらが行ったアレクサンドリア文献学の方法や特徴を知ることができる。ホメロスのスコリアはヘレニズム化したディアスポラのユダヤ人フィロンの聖書注解にも知られており、その影響は『ヘクサプラ』（旧約聖書の六欄組対訳聖書）や多くの聖書注解を生み出したオリゲネスらのキリスト教著述家にも及び（小高毅『オリゲネス』清水書院、一九九二年）、その後の教会史における聖書解釈の集成を促した。

古典研究には校訂作業による本文テクストの校訂と研究・解釈が欠かせないとすれば、アレクサンドリア文献学は後代の人文学研究に計り知れない影響を与えたと言えよう。

# 第5章　古典中国の成立

渡邉義浩

## 1　古典中国とは何か

### †停滞か安定か

ヘーゲルは、中国を持続の帝国と捉え、中国史の特徴を停滞にみた。ヘーゲルだけではない。一九八〇年代、金観濤《きんかんとう》・劉青峰《りゅうせいほう》『興盛与危機――論中国封建社会的超穏定結構』（湖南人民出版社、一九八四年）は、中国封建社会は「宗法一体化構造」を持つことで、停滞性の中に王朝の周期的崩壊を繰り返したとした。「宗法一体化構造」とは、国家が農民大反乱の中で崩壊した際、王朝修復の鋳型を提供し、社会を従来の旧構造へと引き戻す「超安定システム」と定義された。そこでは、儒教により形成された「宗法一体化構造」は、中国社会を発展とは縁遠いものとする巨大な「わな」に落ち込ませ、中国の発展を阻害したものと位置づけられた。そのころ、日本の中国史研究では、戦後マルクス主義により主導されてきた、中国史に内発的な発展の契機を探り、それにより中国史の発展段階を時代区分する論争も、個別実証の重視により終息しつつあった。

そうしたなかで、中国前近代の歴史を停滞と捉え、それを超えるために西欧化の有効性を主張する「超安定システム」論は、「全盤西化《ぜんばんせいか》」が唱えられた一九八〇〜九〇年代の中国史の把握方法としては興味深かった。時代区分は、歴史像の構成において、常に何らかの理念を欠くことのできない営みだからである。しかし、こうした捉え方は、前近代を生きた中国人の抱いていた歴史認識とは、大きく異なる。かれらは古《いにしえ》に理想を求めた。時代区分は、当該時代を生きる人々が自ら主体的に認識していた歴史観に基づくべきである。

そのときの古とは、理念的には周《しゅう》であったが、具体的には漢《かん》であった。前二二一年に中国を最初に統一した秦《しん》帝国に代わり、前二〇二年に成立した漢帝国は、王莽《おうもう》による中断を挟み、前《ぜん》漢《かん》・後漢《ごかん》と合わせて四〇〇年以上続いた、中国史上最長の統一帝国である。むろん、殷《いん》王朝や周王朝は、漢帝国よりも長く続いている。両王朝が、中国の源流であることは間違いない。だが、その領土は小さく、大づかみに他の都市国家を支配するだけで、民の一人ひとりを直接支配するものではなく、その国家と社会も後世の規範となるものではなかった。

「漢」民族・「漢」字という呼称は、中華が自らの古典として漢帝国を尊重し続けてきたことの象徴的表現であろう。ここでは、そうした漢を「古典中国《こてんちゅうごく》」と呼ぶことにする。ヨーロッパにおいて、ギリシア・ローマを古典古代と呼び、「すべての道はローマに通ず」と称するような規範性が、漢帝国にも備わっているると考えるためである。

## †古典中国と時代区分

「古典中国」は、「儒教国家《じゅきょうこっか》」の国制として、後漢の章帝《しょうてい》期に白虎観会議《びゃっこかん》により定められた中国の古典的国制と、それを正統化する儒教の経義《けいぎ》により構成される。

中国が統一国家であるべきことは、「大一統《だいいっとう》」という『春秋公羊伝《しゅんじゅうくようでん》』隠公《いんこう》元年の「春秋の義」により表現される。「大一統」を保つ施策としては、「郡県」と「封建」が対照的に語られる。「大一統」の障碍となる私的な土地集積に対しては、「井田」の理想を準備し、あらゆる価値基準を国家に収斂するために、「学校」が置かれる。支配の正統性は、「皇帝」と共に用いる「天子」という称号に象徴され、中国を脅かす異民族を包含する世界観として、「華夷《かい》」思想を持つ。こうした中国における国家の規範型は、前漢の景帝《けいてい》期より段階的に進む儒教の国教化と後漢「儒教国家」により形成される。しかし、新たなる社会の到来とともに、「古典」の再編は必要であった。

実力で中国を支配する皇帝の持つ権力は、天命を受けた聖なる天子の統治という権威が正統化した。天子は天の子であることを示すため、たとえば後漢《ごかん》の鄭玄《じょうげん》（一二七〜二〇〇）の説では冬至には圜丘《えんきゅう》で昊天上帝《こうてんじょうてい》を祀《まつ》り、正月には南郊《なんこう》（都の南の郊外）で五天帝《ごてんてい》を祀る。南郊での祭天儀礼は、遼《りょう》を例外として、すべての前近代中国国家に継承された。ただし、漢から唐《とう》までは、南郊祭天への参加者は、皇帝と一部の高級官僚だけであった。「古典中国」において、皇帝や皇帝の支配を受ける人々がつくる共同体に共属意識を抱いたのは、支配階級や国家から利益を得ていた階層に限られていた。ところが、北宋《ほくそう》になると、首都開封《かいほう》の南郊儀礼は、城内の住民を熱狂させる、華麗なペイジェントになる。あるいは国都も長安・洛陽に置かれなくなるように、「古典中国」からの様々な展開が、唐宋変革期《とうそうへんかく》に起きている。

古典中国の天は、超越的で不可知的な所与の自然としての天であり、それが主宰神である天により正統化される天子の神秘性を支えていた。天子が善政を行うと天は瑞祥《ずいしょう》によりそれを褒め、天子が無道であると天は地震や日食などの災異により譴責《けんせき》するという、前漢の董仲舒《とうちゅうじょ》（前一七六？〜前一〇四頃）の学派が集大成した天人相関説《てんじんそうかん》は、そうした人格神としての天を前提とする。

これに対して、宋以降の天は、天とは「理」であるという北宋《ほくそう》の程顥《ていこう》（一〇三二〜一〇八五）の規定を承けて、「天理」という概念が広がるように、宇宙を秩序づける可知的な合理性を持つようになる。ここに中国史は、「古典中国」成立以前の「原中国」、「古典中国」が成立した

「古典中国」の時代を終え、「古典中国」を再編した宋から清《しん》の「近世中国」へと展開する。やがて天を祭らない支配者である孫文《そんぶん》（一八六六～一九二五）が出現し、「近代中国」が生まれよう。本章は、こうした時代区分に基づきながら、「古典中国」の形成過程を扱うものである。

## 2 法家から儒家へ

### †中華統一と法家

実存が確認できる中国最初の国家である殷《いん》、そして周《しゅう》は、血縁を紐帯とする氏族《しぞく》制社会を土台としていた。春秋《しゅんじゅう》・戦国《せんごく》時代には、牛犂耕《ぎゅうりこう》と鉄製農具による生産力の普及を背景としながら、秦《しん》の「商鞅《しょうおう》の変法」に代表される、上からの氏族制の解体により、氏族制社会は地域的偏差を持ちながらも解体に向かっていく。そして、氏族制を最も先進的に解体させた秦によって、中華は統一される。

中華統一の思想は、韓非《かんぴ》（前二八〇?～前二三三）に代表される法家《ほうか》により準備された。

韓《かん》の昭侯《しょうこう》が酔って寝た。典冠《てんかん》は、君主が寒そうに寝ているのを見かねて衣を被《き》せた。昭侯は目覚めると喜び、衣を被せた者を尋ねた。それが典冠と知ると、昭侯は、典衣《てんい》と典冠を共に罰した。典衣を罰したのは、職務を怠ったためである。典冠を罰したのは、職務を越えたためである。寒さを嫌がらないのではない。侵官《しんかん》の害は、寒さの害よりも甚だしいと考えたのである。優れた君主が臣下を養うには、臣下に職務の枠を越えて功績を得させず、言葉にしたら実行させせねばならない。（『韓非子』二柄篇）

ここでは、縦割りの非効率よりも、越権による特定の臣下への権力集中を避けなければ、君主のもとに権力は集中されないことが主張される。たしかに論理的には正しい。ただ同時に、人の情に反する違和感を覚える。むき出しの権力強化が持つ、人としての情の無視は、法家思想の特徴である「信賞必罰《しんしょうひつばつ》」にも見られる。

君主は臣下を七つの術で統御する。第一は、部下の言動を多くの証拠をつきあわせて調べる。第二は、罪を犯した者を必ず罰し、威厳を保つ。第三は、手柄をあげた者を信（まこと）に賞し、能力を発揮させる。第四は、臣下の実績を責め正す。第五は、偽りの手段で臣下を使う。第六は、知っていることを隠して問いかける。第七は、わざと反対の事を言って、反応を見る。（『韓非子』内儲説篇上）

第二と第三の組み合わせが「信賞必罰」である。『韓非子』外儲説右上《がいちょ》では、狐偃《こえん》に信賞必罰を説かれた晋《しん》の文公《ぶんこう》が、「時間に遅れたものは軍法により処罰する」との命に従わなかった寵臣の顚頡《てんけつ》を斬殺した説話をのせる。それはまだよい。非は遅れた臣下にある。これに対して、第五から第七の術に至っては、君主が臣下を欺いている。法家の思想により成し遂げられた中華統一が、一五年しか保ち得なかった原因は、思想としての合理性や画一性を追求するあまりに、人の情を逸脱したことにあろう。

## †儒教の国教化

秦《しん》を打倒した陳勝《ちんしょう》・呉広《ごこう》の乱の後、項羽《こうう》との激闘を制した劉邦《りゅうほう》は、前漢《ぜんかん》を建国した。劉邦は、郡県制《ぐんけんせい》と封建制《ほうけんせい》を並用した郡国制《ぐんこくせい》を採用して氏族制の不均等な解体に対応し、黄老《こうろう》思想を用いて、民力の休息をはかった。これは、子の文帝《ぶんてい》・孫の景帝《けいてい》に継承された。その結果、曾孫の武《ぶ》帝《てい》のときには、匈奴《きょうど》から敦煌など河西四郡を奪うほど、国力は回復した。

武帝の積極的な国政運用に伴い、無為を尊ぶ黄老思想は次第に衰退する。そうしたなか、董《とう》仲舒《ちゅうじょ》の献策により、太学《たいがく》（国立大学）に五経博士《ごきょうはくし》が置かれ、儒教が国教化された、と説かれることも多い。五経博士とは、『詩経《しきょう》』『尚書《しょうしょ》』『春秋《しゅんじゅう》』『易経《えききょう》』『礼記《らいき》』という五つの儒教経典ごとに置かれた博士官のことである。結論的に言えば、これは班固《はんご》（三二～九二）の『漢書《かんじょ》』に描かれている董仲舒への賛美を妄信した誤解である。武帝期を生き、董仲舒を師とする司馬遷《しばせん》（前一四五?～前八七頃）は、『史記《しき》』にそのような董仲舒の事績を記録しない。

司馬遷の『史記』董仲舒伝は、三一八字からなる。それを約二三倍の七二二五字に加筆したものが『漢書』董仲舒伝である。増補した部分には、五経博士を置いて諸子百家を退け、儒教を一尊すべきと説く「天人三策《てんじんさんさく》」と呼ばれる三つの上奏文が含まれる。武帝がこれを嘉納し、儒教は国教化された、と従来は説かれてきた。だが、たとえば第二策に含まれる康居《こうきょ》国は、武帝の末期に初めて中国に存在が知られた国であるなど、「天人三策」は武帝時の上奏とは考えがたい。

ただし、武帝期より儒家が台頭したことは間違いない。儒者として初めて丞相《じょうしょう》となった公孫《こうそん》弘《こう》（前二〇〇～前一二一）のように、武帝の好む法家思想を儒教で飾る者は重用された。だが、政治家としては不遇であった董仲舒にこそ、儒教思想の深化を見ることができる。

人倫を説く孔子の教えは、そのままでは天子の支配を正統化しない。したがって、董仲舒の出現まで、儒教は権力に擦《す》り寄る術《すべ》が弱く、秦は法家思想、漢初は黄老思想が国家の支配理念の中核に置かれた。董仲舒が修めた春秋公羊学《しゅんじゅうくようがく》は、儒教のなかでいち早く経義を現実に擦り合わせ、武帝期の後半より次第に権力に近づいていく。その学説は、天子の善政・悪政に応じ、天はその政治を賛美・譴責《けんせき》するという天人相関論《てんじんそうかん》を中心とする。

人の身体に大きな関節が一二、小さな関節が三六六カ所あるのは、一年の月数と日数に対応し、五臓《ごぞう》が五行《ごぎょう》に、四肢《しし》が四時《しいじ》に対応する。人の身体は小宇宙で、人は天とは不可分の関係にある。このため人の頂点に君臨する天子が善政を行えば、天は瑞祥《ずいしょう》を降して褒め、天子が無道であると、天は地震や日食や洪水などの災異《さいい》を降して譴責する。ここに儒教は、天という人格的な主宰神を持つ宗教となったのである。

## †今文学と古文学

前漢の後半期、儒教は、自らの思想を漢帝国の専制支配に合致させるため、新たな経典を必要としていた。それに応えたものが、緯書《いしょ》と古文経書《こぶんけいしょ》であった。

経書の「経」は縦糸、人として生きる筋道という意味である。「緯」は横糸で、縦糸と横糸で布ができるように、経書を補うため孔子が著したとされる書籍が緯書である。もちろん、緯書は、孔子とは無関係に、国家権力に接近するため、主として成帝《せいてい》期から哀帝《あいてい》期ごろの公羊学《くようがく》派が創作した偽書である。その特徴は、神秘性の高さにある。なかでも、予言性の高い文書は、符命《ふめい》・図讖《としん》と呼ばれた。前者は王莽《おうもう》、後者は光武帝《こうぶてい》が利用する。

一方、古文経書は、宮中の図書整理により発見されたという。漢代に用いられていた隷書《れいしょ》より古い文字で書かれていたので、古文（文は文字の意）経書という。これにより儒教経典は、今《きん》文《ぶん》と古文《こぶん》という文字の違いで大別される。単に経書の文字が異なるだけではない。『礼記《らいき》』（今文）と『周礼《しゅらい》』（古文）のように経書そのものが異なる「礼」、『春秋公羊伝《しゅんじゅうくようでん》』（今文）と『春秋左氏伝《さしでん》』（古文）のように経書を解釈する「伝」が異なる「春秋」など、経書そのものから解釈、そして何よりも主張内容が大きく異なっていた。全般的にいえば後出の古文経書の方が、漢の現実に適合し、中央集権的な専制権力をより強く正統化している。このため古典的国制の議論では、古文学（古文経書に基づく学問）が優勢であった。

また古文学は、新たな主張も行った。漢を堯《ぎょう》の後裔の火徳《かとく》の国家とすることも、その一つである。戦国時代に陰陽家《いんようか》の鄒衍《すうえん》が説いた陰陽五行説《いんようごぎょうせつ》によれば、万物は陰《いん》（地・月・女など）と陽《よう》（天・日・男など）との結合で生まれ、土・木・金・火・水という五行《ごぎょう》（五つの要素）により構成される。五行は土・木・金・火・水・土……の順で下が上に勝つ、これを五行相勝説《そうしょうせつ》という。これに対して古文学は、木・火・土・金・水・木……の順で上から下が生まれるという五行相《そう》生説《しょうせつ》に依拠した。相勝説と相生説をあわせて、五徳終始説《ごとくしゅうしせつ》という。万物の運行がこれに則るので、国家の盛衰も五徳終始説で説明される。

国家の興亡を説明する五徳相勝説では、文帝期の張蒼《ちょうそう》が漢水徳説《すいとく》を説いていたが、賈誼《かぎ》や公《こう》孫臣《そんしん》は漢を土徳《どとく》と考えた。黄龍《こうりゅう》——土のシンボルカラーは黄色——の出現を機に、文帝は公孫臣の漢土徳説を採用する。これに対して、古文学者の劉歆《りゅうきん》（?〜二三）は、五徳相生説に基づき漢火徳・漢堯後説を唱えた。具体的には『春秋左氏伝』昭公《しょうこう》伝一七年を論拠に、帝王の系譜に少昊《しょうこう》を挿入することで、堯と漢がともに火徳であることを論証したのである。劉歆の漢堯後説・漢火徳説は、舜《しゅん》の子孫で土徳《どとく》の王莽が前漢を奪う正統性となる。そして、それを成し遂げる前提として、王莽は儒教経義に基づく古典中国の形成に力を尽くしていく。

### †古典中国の形成

中国における古典的国制は、『礼記』王制篇《おうせいへん》と『周礼』および緯書《いしょ》に基づきなされた、祭天儀礼を中心とする諸装置・礼法を呼ぶ。古典的国制への提言は、元帝《げんてい》の初元《しょげん》三（前四六）年の翼奉《よくほう》の上奏を始まりとする。成帝《せいてい》期には、天子として最も重要な天地の祭祀方法として南北郊《こう》祀《し》が提起され、何回かの揺り戻しと哀帝《あいてい》期の反動を経て、平帝《へいてい》の元始《げんし》五（五）年、王莽により長安《ちょうあん》の南北郊祀が確定されて、古典的国制は完成する。

古典的国制の指標は、さらに具体的には、①洛陽《らくよう》遷都・②畿《き》内《だい》制度・③三公《さんこう》設置・④一二州牧《しゅうぼく》設置・⑤南北郊祀・⑥迎気《げいき》（五郊）・⑦七廟合祀《しちびょうごうし》・⑧官稷《かんしょく》（社稷）・⑨辟雍《へきよう》（明堂《めいどう》・霊台《れいだい》）・⑩学官・⑪二王の後・⑫孔子の子孫・⑬楽制改革・⑭天下の号（国家名）の一四項目に分けられる。このうち王莽は、⑤⑥⑦⑧⑨を定めている。

王莽は、元始《げんし》四（四）年から、後世より「元始中の故事《こじ》」と総称される礼制改革に着手した。元始四年には、⑨辟雍・明堂・霊台を起こし、元始五年には、⑤南北郊祀・⑦七廟合祀を確立し、⑥迎気を定め、⑧官稷を立てた。これら「元始中の故事」のうち、後世に最も大きな影響を与えたものは、⑤南北郊祀と⑦七廟合祀である。

王莽は、最も重要な⑤南北郊祀について、冬至の日に南郊で天を、夏至の日に北郊《ほくこう》（都の北の郊外）で地を、そして正月には南郊で天地を合祭する典拠を『周礼《しゅらい》』大司楽《だいしがく》篇に求めた。また、天子が⑦七廟合祀を行う際の不毀《ふき》廟（永遠に残す廟）の扱いについては、『春秋左氏伝《しゅんじゅうさしでん》』を典拠とする劉歆《りゅうきん》の主張に従った。王莽は古典的国制を古文経書の経義により正統化することで、古典中国を形成していくのである。

儒教に基づく国家支配の三本の柱は、「封建《ほうけん》」・「井田《せいでん》」・「学校《がっこう》」である。やがて新を建国した王莽は、五等爵《ごとうしゃく》の「封建」を行い、中央官制を序列化し、地方官の世襲を目指した。また、「学校」としては太学《たいがく》に古文学の博士を置き、『周礼』や『春秋左氏伝』の宣揚と普及に努めた。「井田」は、土地を均等に分与するという儒教の理想である。周《しゅう》の井田を伝える文献のなかでは、『孟子《もうじ》』が最も有名であるが、王莽の「井田」政策である王田制《おうでんせい》は、周の井田法を規範に、即位の翌年となる始《し》建国《けんこく》元（九）年より開始される。

王莽は、このように古文学を中心に中国の古典的国制を定め、それを経義により正統化し古典中国の形成に努めた。その一方、古文経書に依拠しながら、自らの権力の正統化をも行い、漢から禅譲《ぜんじょう》を受ける準備を行う。それを担ったものもまた、古文学であった。

### †経学と符命

王莽は、居摂《きょせつ》三（西暦八）年、自らを黄帝《こうてい》と虞舜《ぐしゅん》の後裔と位置づけ、漢を火徳と宣言する。同月、即位した王莽は、元号を初始《しょし》と改め、天下の号を新と定めた。翌始建国《しけんこく》元（九）年、王莽は、漢を堯の後裔とし、堯舜《ぎょうしゅん》革命に準えて、漢新《かんしん》革命を行ったことを宣言する。

予の皇始祖考《こうしそこう》である虞帝《ぐてい》（舜）は禅譲を唐帝《とうてい》（堯）より受けた。漢氏の祖先である唐帝（堯）には、代々伝国《でんこく》の象《しょう》（国を譲るきざし）があり、予はまた親しく金策《きんさく》（漢の天下を譲るという命令書）を漢の高皇帝《こうこうてい》の霊より受けた。（『漢書』王莽伝中）

この文章には、二つの正統性が混在する。一つは経書解釈に基づき堯舜革命に漢新革命を準える正統性、もう一つは「金策」に表象される神秘的な超越性である。

舜の後裔たる王莽が、堯舜革命を規範に漢新革命を成し遂げた正統性は、古文経書の『春秋左氏伝』を典拠とする。しかし、『春秋左氏伝』だけでは、王莽の簒奪は完成しなかった。合理的な『春秋左氏伝』による説明に加えて、神秘的な緯書による予言を必要としたのである。古文学は、いまだ劉歆ら少数の古文学者が、研究を続けているだけであった。漢の知識人層に広く流行していた予言などの宗教性をまとわずに、革命は完成しなかった。

このため王莽の革命は、「符命《ふめい》革命」と呼ばれることがある。符命とは、常に「符《ふ》」（何らかの瑞祥）と関連して出現する「命《めい》」（天の予言）のことである。そこには、天の命が記されているが、もちろんそれは王莽の意図を汲んだ者の作為であった。こうした符命が、古文学とは別の流れをなしながら、天命による革命の正統化を担っていたのである。

王莽が古典的国制の正統化に努めていた元始五（五）年、井戸から出てきた白い石に、「安《あん》漢公《かんこう》の王莽に告ぐ、皇帝となれ」と書かれていたとの報告があった。符命の起源である。王莽は他の臣下に符命の出現を元太皇太后《げんたいこうたいごう》（元帝の皇后で、王莽の一族）に申しあげさせた。元太皇太后は、「これは天下を欺《あざむ》くものである、頒布してはならない」と言った。

元太皇太后が、符命を「天下を欺くもの」と否定したことには注目したい。王莽の革命は、「符命革命」と称されるほどには、全面的に符命に依拠しているわけではない。符命だけでは、元太皇太后を筆頭とする革命への反対を押し切ることはできなかったのである。王莽の革命は、符命だけではなく、『春秋左氏伝』など古文学の経義に基づき、漢堯後説や王莽舜後説などを論理的に構築することと、相互に補完しあいながら実現したものなのである。論理だけでは、天によって正統化される天子の地位に就くことは難しい。ここに古典中国における儒教が、神秘性・宗教性を帯びなければならなかった理由がある。

## †図讖の尊重

王莽は新を建国したのち先鋭化し、『周礼《しゅらい》』に基づく国制改革を矢継ぎ早に行った。また、外交でも華夷《かい》思想に基づき、匈奴《きょうど》や高句麗《こうくり》に「降奴服于《こうどふくう》」「下句麗侯《げくりこう》」という称号を押しつけて、かれらの離反を招いた。こうした混乱の中から起こった赤眉《せきび》の乱を契機に、新は建国後わずか一五年で滅亡し、光武帝《こうぶてい》劉秀《りゆうしゆう》が漢を再興する。

後漢《ごかん》を建国した光武帝は、中国の古典的国制に従い洛陽《らくよう》を首都とし、功臣から軍権を奪って儒教を学ばせた。光武帝が儒教を尊重したのは、自ら今文『尚書《しょうしょ》』を修めていたためばかりでなく、当時の国家の正統性に、儒教が大きな役割を果たしていたことによる。

王莽は、本来、漢のために形成されたはずの讖緯《しんい》思想（緯書の予言を信じる神秘思想）、とりわけ瑞祥と共に出現する符命《ふめい》を巧みに利用した。光武帝もまた、『赤伏符《せきふくふ》』という図讖《としん》（予言文）の「劉秀が兵を起こして不道の者を捕らえ、火徳の漢が再び天下の主となる」という文言を拠り所に即位していた。讖緯思想を放置すれば、国家は安定しない。

そこで、光武帝は、緯書を整理して後漢の正統性を示すものだけを天下に広め、自らが認める讖緯思想を含む儒教を漢の統治を支える唯一の正統思想として尊重した。功臣だけではなく、豪族にも郷挙里選《きょうきょりせん》（官僚登用制度）の運用により、漢を正統化する儒教を学ばせた。この結果、後漢では、太学に五経博士が置かれるなど制度的に儒教が尊重されるだけでなく、官僚にも豪族にも儒教が浸透し、国家を正統化する儒教が統治の場でも用いられる「儒教国家《じゅきょうこっか》」が形成される。後世の儒者、たとえば明清《みんしん》の考証学者《こうしょうがくしゃ》が、後漢を儒教に基づいて統治された理想的な国家とし、光武帝を高く評価するのはこのためである。

しかし、後漢以外を正統視する讖緯思想が、滅んだわけではなかった。公孫述《こうそんじゅつ》が支配した蜀には、「漢に代わるものは当塗高《とうとこう》である」という予言が残り続けた。後漢末の群雄の中で、最初に皇帝を称した袁術《えんじゅつ》は、「当塗高」の「塗《みち》」を自らの字《あざな》の「公路《こうろ》」の「路《みち》」に当たるとし、皇帝への即位を正統化した。曹操の子曹丕《そうひ》もまた、後漢から禅譲を受けて魏を建国する際に、「赤（漢）に代わるものは魏の公子《こうし》（曹丕）である」、「当塗高なるものは魏である」という讖文《しんぶん》（予言文）を利用している。一方、蜀漢が衰退する中で、譙周《しょうしゅう》は、漢に代わる「当塗高とは魏である」と主張する。蜀漢を建国した劉備《りゅうび》や諸葛亮《しょかつりょう》から見れば、こうした讖文を見事に押さえ込んだ光武帝は、尊敬して已まない存在であった。

## 3　儒教国教化の完成

### †規範を立てる

後漢「儒教国家」において解決すべき問題は、王莽期に台頭した古文学《こぶんがく》と、後漢の官学となった今文学《きんぶんがく》との経義の調整にあった。王莽を打倒して、漢を復興した光武帝劉秀は、王莽の正統性を支えた古文学に対抗して、今文学を推奨した。だが、国家の支配のための政治思想としては、強大な君主権を擁護するなど、後出の古文学の方が優れていた。また、学問的にも、訓《くん》詁《こ》（古典の解釈）に優れる古文学は、無視し得ない力を持つ。

そこで、前漢の宣帝《せんてい》が行った石渠閣《せききょかく》会議に倣《なら》い、後漢の章帝のもとで、両者の見解が討論されて、今文学の正統が確認された。これが白虎観《びゃくこかん》会議である。会議の討論結果は、『漢書』の著者でもある班固《はんこ》により、『白虎通《びゃくこつう》』としてまとめられた。

白虎観会議は、建初《けんしょ》四（七九）年、章帝の詔《みことのり》を奉じた儒者が、経義の疑義を一〇名余の儒者に論議させ、章帝自らが決裁する、という形式で行われた。その討議の結果をまとめた『白虎通』によれば、たとえば首都は、次のように規定されている。

王者の京師《けいし》が、必ず土中《どちゅう》（中国の中心）を択《えら》ぶのはなぜか。教えへの道を均しくし、往来を容易にし、善と悪を報告し易くし、懼れ慎み善悪を顧みるべきことを明らかにするためである。『尚書《しょうしょ》』召誥《しょうこう》篇に、「王はつとめて上帝《じょうてい》をたすけ、自ら土中を治めよ」というとおりである。（『白虎通』京師）

『尚書』に記される「土中」とは、西周《せいしゅう》の東都洛邑《らくゆう》（漢の洛陽《らくよう》）をさす。『白虎通』は、「土中」の典拠を今文『尚書』に求めて、後漢が洛陽に首都を置いていることを儒教経義により正統化している。これまで、たとえば首都をどこに置くのか、という国家の政策を儒教の経典により正統化することはなかった。白虎観会議は、もちろん首都の位置や古典的国制だけでなく、君臣・父子・夫婦の「三綱《さんこう》」、諸父・兄弟・族人・諸舅《しょきゅう》・師長・朋友の「六紀《ろくき》」を中核とする倫理秩序の規範、善悪の基準を明示した。古典中国の国家と社会の規範が初めてここで経書により正統化され、定められたのである。

こうして、中国における古典的国制と善悪の根底に置かれる社会規範は、章帝期の白虎観会議において経義により正統化された。白虎観会議により思想内容としての体制儒教が成立したころには、すでに制度的な儒教一尊体制は確立し、儒教の中央・地方の官僚層への浸透と受容も完了していた。そして儒教的支配としての「寛治《かんち》」(儒教を媒介として、豪族の力を利用したゆるやかな統治)も章帝《しょうてい》期より本格化していく。

こうして章帝期に後漢「儒教国家」は成立し、それとともに、「古典中国」のあり方が儒教によって規定されて、「儒教の国教化」が完成したのである。

## †無矛盾の体系性

後漢「儒教国家」が成立し、古典中国のあり方が定められた章帝期以降、後漢は外戚《がいせき》と宦官《かんがん》の専横により、次第に衰退していく。その一方で、経学、ことに在野の学となった古文学は研究が進展し、鄭玄《じょうげん》の師である馬融《ばゆう》や初の漢字字書『説文解字《せつもんかいじ》』を書いた許慎《きょしん》などが現れた。それでも後漢は、宦官に反対する儒教官僚を悪人の仲間として弾圧した桓帝《かんてい》期の党錮《とうこ》の禁《きん》により崩壊する。霊帝《れいてい》期には黄老《こうろう》思想の系譜を引く中黄太乙《ちゅうこうたいいつ》という天を崇拝する太平道《たいへいどう》により、黄巾《こうきん》の乱が起こされた。乱そのものは、馬融の弟子であり、劉備の師である盧植《ろしょく》の計略に基づき平定されたが、時代は「三国志」へと移っていく。

そうしたなか、古典中国の経学を集大成した者が鄭玄である。鄭玄は、漢という絶対的な善が崩壊していく中で、経典解釈の「無矛盾の体系性」により絶対的な正しさを作りあげ、次の時代へ国家と社会のあり方の理想型を残そうとした。こうした営みの中で、古典中国の経義を代表する鄭玄学は形成された。

鄭玄学の精華は、天子による天の祭祀を規定する六天《りくてん》説である。鄭玄は六天説により、永遠と思われた「聖漢《せいかん》」が、なぜ終焉を迎えたのかを説明する。そして、「聖漢」の終わりは、たとえば中黄太乙への信仰といった儒教以外の宗教や価値観に基づく国家が建設されることを意味しないことを主張する。鄭玄は、漢に代わる国家もまた、儒教に基づく必然性を六天説で指し示しているのである。

鄭玄の六天説は、感生帝《かんせいてい》説を前提とする。感生帝説とは、天命を受けた国家の始祖は通常の出産ではなく、その母が異物に感じて帝王を孕《はら》むという考え方である。鄭玄は、周の始祖后《こう》稷《しょく》は、母の姜嫄《きょうげん》が上帝の足跡《あしあと》の親指を踏んで妊《はら》んだという伝説について、后稷は、足跡を残した感生帝（上帝、天）の子であると説明する。足跡を残した上帝は、緯書《いしょ》によれば、蒼帝霊威《そうていれいい》仰《ぎよう》という名を持つ。緯書の宗教性が鄭玄説の神秘性を支えているのである。これが、周の守護神となる天である。周という国家は、周の守護神であり、感生帝である蒼帝霊威仰の足跡の親指を踏むことで孕んだ姜嫄の生んだ后稷が、天の命を受けて成立した国家である。したがって、周の滅亡は、蒼帝霊威仰の保護が終わることを意味する。

一方で、儒教の最高神である昊天上帝は、周の興廃にかかわらず君臨し続ける。そして、周――木徳、シンボルカラーは蒼《あお》――に代わる、漢――火徳、シンボルカラーは赤――の守護神である赤帝赤熛怒《せきていせきひょうど》を感生帝・守護神とする劉邦が、漢を建国したのである。いま、漢が天命を失いつつあるとすれば、五行《ごぎょう》の順序から言って、黄帝含枢紐《こうていがんすうちゅう》——土徳、シンボルカラーは黄色——を感生帝とする受命者が、地上に現れているはずである。それは、決して昊天上帝を否定する張角ではない。

このように、鄭玄の六天説は、至高神である昊天上帝のほかに、五行を主《つかさど》り、歴代の王者の受命帝となる蒼帝霊威仰・赤帝赤熛怒・黄帝含枢紐・白帝白招拒《はくていはくしょうきょ》・黒帝汁光紀《こくていじゅうこうき》の五天帝という、六種類の天帝を設定する思想である。そして、鄭玄は、天の祭祀を二つに大別し、昊天上帝を圜丘《えんきゅう》（天を象徴する円形の祭壇）に祀《まつ》り、上帝（五天帝）を南郊《なんこう》で祭るべきであるとする。南郊では正月に、王者の祖である感生帝より生まれた始祖——周であれば后稷、漢であれば劉邦——を配侑《はいゆう》（あわせ祭ること）して、五天帝——周であれば蒼帝霊威仰、漢であれば赤帝赤熛怒——を祭る（南郊祭天）。そして、このほかに、冬至には圜丘で昊天上帝を祀る（圜丘祀天《えんきゅうしてん》）。

こうして、鄭玄は、なぜ漢が滅亡するのか、漢に代わる国家が、それでもなお儒教の天の保護を受けるのかを説明した。六天説により、「漢に代わるもの」の存在を予言したのである。ここに中国国家は、自らの祖型を持つことになった。これが古典中国の中核である。

## さらに詳しく知るための参考文献

渡邉義浩『「古典中国」の形成と王莽』（汲古書院、二〇一九年）……本章のもとになっている研究書。詳細はこれを参照されたい。

渡邉義浩『漢帝国――四〇〇年の興亡』（中央公論新社、二〇一九年）……新書として漢帝国の政治過程を含めて、漢における古典中国の形成を述べる。

渡邉義浩『「古典中国」における文学と儒教』（汲古書院、二〇一五年）……古典中国において儒教との関わりの中で、どのように文学が立ち上がっていくのかを論じる。

渡邉義浩『「古典中国」における小説と儒教』（汲古書院、二〇一七年）……魯迅から小説と位置づけられた『世説新語』『捜神記』の古典中国でのあり方を述べる。

アンヌ・チャン『中国思想史』（志野好伸・中島隆博・廣瀬玲子訳、知泉書館、二〇一〇年）……チャンは後漢の何休（公羊学）の専門家なので、漢代の思想理解の手引きになる。

# 第6章　仏教と儒教の論争

中島隆博

## 1　仏教伝来

### †後漢の仏教

本書第5章で渡邉義浩が明らかにしたのは、「古典中国」すなわち「儒教国家」という国制が漢において成立したゆえんであった。ところが、後漢の大儒である鄭玄《じょうげん》が、「儒教国家」の正統性を理論的に集大成し、漢に代わる国家も儒教に基づくはずだと述べたその時に、すでにそれを揺さぶる思考が登場していた。それが仏教である。

仏教が中国に伝来したのは後漢だと考えられている。よく知られているのは、後漢の第二代皇帝の明帝《めいてい》（二八～七五、在位、五七～七五）の記事である。『牟子理惑論《ぼうしりわくろん》』の「感夢求法説話《かんむぐほうせつわ》」によると、明帝が夢に金色の「金人」が宮殿の上を飛んでいるのを見て、それがブッダであると知り、西方へ使節を派遣して『四十二章経』を写させ、帰国後に都である洛陽に白馬寺を建てたという。また、『後漢書』「光武十王列伝」によると、明帝の異母兄である楚王英《そおうえい》（劉英、？～七一）が明帝への謀反を疑われた際に下された詔に、「楚王は黄老の微言を誦し、浮屠《ふと》の仁祀《じんし》を尚《とうと》ぶ」と記されている。黄老とは、伝説上の皇帝である黄帝と老子に基づいて統治術と不死を求める思潮で、前漢において流行していたものだ。また浮屠とはブッダのことであるので、楚王英は、後漢において構築されつつある「儒教国家」の国政とは異なる思想を有していたことがわかる。

### †仏教と道教

渡邉義浩が述べるように、後漢の第三代皇帝である章帝《しょうてい》（五七～八八、在位、七五～八八）において「儒教国家」が成立し、その後、鄭玄が理論的な洗練をしていった。だが、まさにその鄭玄が活躍していた時期は、第十一代皇帝である桓帝《かんてい》（一三二～一六八、在位、一四六～一六八年）であり、『後漢書』「孝桓帝紀」によると「華蓋《かがい》を設けて仏陀と老子を祀った」とある。アンヌ・チャン『中国思想史』「第十四章　中国への仏教の伝来」によると、その頃洛陽にはすでに訳経所が設けられており、パルチア、スキタイ、インドそしてソグドから来た渡来僧が指導にあたり、桓帝期の一四八年頃には、その洛陽にパルチア僧である安世高《あんせいこう》が来て、二〇年ほどの滞在中に訳経（『安般守意経《あんぱんしゆいきよう》』、『阿毘曇五法行経《あびどんごほうぎようきよう》』など）を行い、仏教信仰を広めて中国僧を育成していたとある。

アンヌ・チャンはさらに続けて、漢代における仏教への関心は、魂の不死、輪廻《りんね》、業《ごう》といった問題に向けられていたと述べる。その背景には、道教の「承負《しようふ》」、すなわち祖先のなした罪過の報いを子孫が受けるという考え方があり、また、輪廻も同様に、肉体が霊的になると不死に至るという道教の信仰を基礎に理解されていた。そうだとすれば、「儒教国家」が確立したその時に、仏教と道教が混交したもう一つ別の思考が姿を現していたということになる。

## 2 魏晋玄学

### †王弼の「無」

後漢が滅ぶと、中国には新たな哲学運動が生じた。それが玄学《げんがく》である。「玄」は『老子』第一章にある「玄のまた玄なるもの、衆妙《しゆうみよう》の門」に由来する概念で、奥深いもの、神秘的なものという意味である。玄学は、「三玄」と呼ばれる『荘子』、『老子』、『易』というテキストに依拠しながら、本体である「玄」を探求する学であった。この学の起源は後漢末にある。さきほど言及した桓帝の治世において、桓帝は梁冀《りょうき》の専権を排するために大規模な粛清を行ったため、宦官が権力を振るうようになった。それに反対する人々が、「清議《せいぎ》」すなわち「清」(清廉)なる士人による反対運動を組織したのだが、かえって弾圧されてしまった。そのため、多くの士人は政治から身を引き、「清談《せいだん》」に耽《ひた》るようになる。彼らは「儒教国家」という国制を批判するために、道家・道教的な思考に向かった。『荘子』、『老子』、『易』というテキストが召喚されたのはそのためであった。

玄学が盛行したのは魏(二二〇〜二六五)から西晋(二六五〜三一六)にかけてである。なかでも重要なのは、「無」の形而上学を打ち立てた王弼《おうひつ》(二二六〜二四九)である。王弼の思考の最大の特徴は、「無」を万物の根源と規定したことにある。『老子』第四十章にある「天下の万物は有から生じ、有は無から生じる」を解釈して、「有の始まりは、無が本である」と述べ、「道」と万物の関係を、「本(根本)」である「無」と「末(末梢)」である「有」の関係に整理したのである。

「無」という以上、それは、それ以上遡ることのできない究極の根拠である。王弼は、単に「ない」とか「存在しない」という「無」ではなく、究極の根拠という概念としての「無」を立ち上げたのだ。このような意味での「無」に回帰できれば、すべての根拠を手に入れることができるために、それは「有を全《まっと》うする」ことになる。「無」の形而上学は、かえってこの世界の個々の事物の本質的なあり方である「理」を強力に支えることになった。

## †郭象の「自然」

玄学がかえってこの世界を支えるという傾向が強まったのは、西晋の時代に『荘子』に注釈を付した郭象《かくしょう》（二五二頃〜三一二）においてである。郭象は王弼の言うような形而上学的な「無」はないとして、すべては自然に生み出されると主張した。

無はすでにないのだから、有を生じることはできない。有が生じていない以上、さらに何かを生じさせることはできない。では、何かを生じさせるのは誰なのか。独りでに、おのずから生じただけである。（中略）物はそれぞれ自生するのであって、どこかそこから出てくるところなどない。（『荘子』斉物論注）

スピノザであれば「自己原因」とでも呼ぶであろう、こうした物の自然発生の思考はどこに行き着くのだろうか。郭象は、事物や人間の「性」は「自然」であるとした上で、「そもそも仁義は人の性である」（『荘子』天運注）、「そもそも仁義はそのまま人の情性であって、ただこれに任せておけばよい」（『荘子』駢拇《ひんぼ》注）と述べた。それは、「仁義」に代表される儒家的な秩序を、その「自然」の哲学によって、そのままで肯定してしまったのである。

これは、「清談」で知られる「竹林の七賢」の一人である嵇康《けいこう》（二二三～二六二）が「名教《めいきょう》を越えて自然に任せる」（嵇康「釈私論《しゃくしろん》」）と述べて、儒家的な現実の秩序である「名教」を否定し、制度以前の「自然」に任せようとしていた態度とは対照的であったが、玄学の一つの帰着点でもあった。

## 3　華北と江南の仏教

### †華北の仏教

魏晋の後、中国は南北にわかれ、華北と江南に二つの文化圏が成立していった。この過程において、仏教は次第に大きな役割を果たしていった。

華北に成立したのは漢民族とは異なる民族による王朝であった。そのために、その正統性を保証するには、儒教よりも仏教がより好都合であった。クチャ出身と言われる仏図澄《ぶつとちょう》（二三二～三四八）は、後趙《こうちょう》（三一九～三五一）の始祖である石勒《せきろく》（二七四～三三三、在位、三三〇～三三三）やその甥であり第三代皇帝である石虎《せきこ》（二九五～三四九、在位、三三四～三四九）に仕え、「神異」という不思議な現象を引き起こしたとされる。

仏図澄に師事したのが道安《どうあん》（三一二〜三八五）である。道安は当初、道家・道教によって仏教を理解しようとしていた。こうした理解は、翻訳の型によるものだ。かつては「格義仏教《かくぎ》」とも呼ばれていたのだが、それは意訳でも音訳でもなく、中国文化のシステムの中に組み込むような翻訳の型のことである。たとえば、ニルヴァーナを「無為」、タタターすなわち事物がそのようにあるということを「本無」と訳すようなものである。ところが、その後はそこから離れ、漢以来の漢訳仏典を網羅した『綜理衆経目録《そうりしゆうきようもくろく》』を編纂するようになり、ついには弥勒信仰を創始した。

道安の事跡において重要なことは、鳩摩羅什《くまらじゆう》（三四四〜四一三）の招聘を建言したことである。招聘は道安の生存中にはかなわなかったものの、鳩摩羅什は四〇一年に長安に到着し、多くの僧たちとともに膨大な訳経作業を始めた。唐の玄奘《げんじよう》（六〇二〜六六四）の訳経を新訳と考える立場からは、鳩摩羅什の訳経は旧訳、そして鳩摩羅什以前の訳経は古訳と呼ばれるが、現在でも鳩摩羅什が翻訳した概念が多く使われているほど決定的な影響を漢訳仏典に与えたのである。鳩摩羅什の訳経によって本格的に大乗経典が中国にもたらされたと言ってもよい。その中には、浄土経典や『法華経《ほつけきよう》』、『維摩経《ゆいまきよう》』、そして「空」概念を論じた中観派の『百論』、『中論』、『十二門論』などがある。

## †江南の仏教

　では、江南の仏教はどうであったのか。ここで指を屈しておくべきは、東晋時代（三一七〜四二〇）に活躍した廬山《ろざん》の慧遠《えおん》（三三四〜四一六）である。慧遠は、さきほどの道安の弟子であったが、道安が前秦（三五一〜三九四）の苻堅《ふけん》（三三八〜三八五、在位、三五七〜三八五）によって長安に連れ去られると、江南に移り、廬山に入った。慧遠は、師の弥勒信仰を継承し、浄土を説く阿弥陀仏信仰を創始した。さらに説一切有部《せついっさいうぶ》の経典の翻訳に助力したが、それは鳩摩羅什が持ち込んだ中観《ちゆうがん》派と対立するものであった。それでも慧遠は鳩摩羅什とも書簡を交わしていたし、弟子の道生《どうしよう》（三六〇〜四三四）を長安の鳩摩羅什のもとに派遣し、翻訳グループに参加させた。その道生も、しかし、あらゆる存在者に仏性《ぶつしよう》があり救済可能であることと、頓悟《とんご》を説くという点で、鳩摩羅什たちの中観派重視とは異なる仏教理解を展開していた。

　慧遠に戻ると、もっともよく知られているのは『沙門不《しやもんふ》敬王者論《けいおうじやろん》』である。この論を著した背景には、僧が王者である皇帝を礼敬するべきかどうかという礼敬論争があった。この論争は東晋から断続的に繰り返されたもので、慧遠が関与したのは、第十代皇帝である安帝（三八二〜四一九、在位三九六〜四一九）の元興《げんこう》元年（四〇二年）に生じた元興論争である。この論争を詳細に検討した遠藤祐介『六朝期における仏教受容の研究』によると、この論争は、当時の政治的実力者である桓玄《かんげん》（三六九〜四〇四）が皇帝権を簒奪《さんだつ》する直前に起こしたもので、慧遠と王謐《おうひつ》（三六〇〜四〇八）が論争相手になったという。王謐の主張は、「君臣の間の敬については、その理は名教である儒教に尽きている。今僧侶は王侯の臣ではない以上、敬は廃される」（王謐「公重答」、『弘明集』巻一二）というものであった。では、慧遠はどう主張したのか。

出家したものはみな世を逃れてその志を追求し、習俗を変えてその道を達しようとしている。習俗を変えるとは、その服装が世間の礼に同じではないということだ。世を逃れるとは、その行いを高めるということだ。（中略）そのため、［出家した僧は］内において［親子関係という］天に属している重要なものに背いてはいるが、孝に違反しているわけではない。外において君主を奉じる恭しさには欠けてはいるが、敬を失しているものではない。（慧遠『沙門不敬王者論』「出家」、『弘明集』巻五）

慧遠の主張は、王謐とはやや異なっている。王謐が君臣関係の有無によって礼敬が必要であるか必要でないかを論じたのに対して、慧遠は僧が出家をして「変俗」すなわち習俗を変えることの意義を強調している。それは、礼が、ある習俗を同じくするものたちの共同体における規範であることを思い出させるもので、僧はそれとは異なる共同体に属しているのであって、服装に代表される別の礼を実施しているというのである。
ここに示された、天の下において異なる礼の共同体をどう認めていくのかという論争は、その後も繰り返し問題化されていく。キリスト教が中国に入ってきた後に引き起こされた、中国の皇帝への礼とローマ法王への礼のどちらが優位するのかという典礼《てんれい》論争（一七〜一八世紀）もまた同型の議論である。「国の中の国」なのか、それとも多元的な社会なのか。この論争は、わたしたちの社会的想像力を繰り返し鍛えるものである。

### †慧遠の神不滅論

慧遠がもう一つ提起したのは、「神不滅《しんふめつ》」という議論である。「神《しん》」は人間の知性的で神秘的なはたらきのことであって、魂や心にあたるものだ。「形《けい》」すなわち身体が死によって尽きてしまうと「神」もまた滅びるのか。これこそが仏教と儒教の論争のもっとも先鋭的な論点であった。それに対して、慧遠は「形が尽きても神は不滅である」として、次のように論じた。

答える。そもそも神とは何であろうか。それは精が極まって霊妙になったものである。（中略）荘子は大宗師篇《だいそうし》において玄妙な議論をしている。「大塊《たいかい》すなわち宇宙は、生によってわたしを苦しめ、死によってわたしに休息を与える」、「生は桎梏《しっこく》であり、死は真に返ることだ」。これは、生が大患《たいかん》であって、無生すなわち死が本来のものに返ることを知っているのだ。文子は黄帝の言葉を述べている。「形は滅びても神は変化しない。変化しないことで変化を乗りこなすので、その変化は無窮である」。荘子もまたこう述べる。「ただ人の形を盗んで生まれてきたことを喜んでいるが、人の形は千変万化するもので、究極のものではない」。つまり、生は一度の変化で尽きるのではなく、次々に様々な物を追いかけていって、返ることはないということを知っているのだ。荘子と文子の論は真実を究めてはいないが、重要なものに基づいていて、それを耳にしていたようである。

ところが、あなたは荘子の生死の説を「取り上げているにもかかわらず」考察せずに、「気の」集散が一度の変化であると誤解している。神のあり方が霊妙なものであると思わず、精妙な神も粗雑な形もともに尽きると考えている。なんと悲しいことではないか。あなたが言及した火と木の喩えは、もともとは『荘子』などの」聖典から出たものであるが、その正しい伝承が失われているために、幽玄なる意味が尋ねられることがない。(中略)

火が薪に燃え移るのは、ちょうど神が形に伝わるようなものだし、火が別の薪に燃え広がるのは、神が別の形に伝わるようなものだ。(中略)ところが、惑う者は、形が一つの生において朽ちるのを見ると、神も情もそれと一緒にすぐさま喪《うしな》われると考えてしまう。それは、ちょうど火が一つの木において消えるのを見て、火そのものが永遠に消滅したと考えるよう

なものだ。（慧遠『沙門不敬王者論』「形尽神不滅」、『弘明集』巻五）

これは問答で成り立っている議論なのだが、慧遠に問いを発した者は、『荘子』に依りながら、「形」が滅べば「神」も滅びることを論じていた。それに対して、慧遠はその『荘子』を別の仕方で解釈して、「神」は不滅であると論じようとしたのである。慧遠の議論のポイントは「伝」にある。火が薪から薪へと繰り返し伝わるように、「神」もまた「形」から「形」へと繰り返し伝わるのであって、火そのものや「神」そのものが消滅することはない。要するに、伝承可能性や反復可能性において「神」を論じようというのである。これは、輪廻に対する一つの強い解釈でもある。実体としての魂が輪廻するというよりも、「神」というあり方は反復可能性においてこそ論じられるということなのだ。

だからこそ、聖典の正しい伝承もまた強調される。中国の聖典であれ、仏教の聖典であれ、その「幽玄なる意味」は正しい伝承において反復されなければならない。それは「神」が伝承され、反復されるのと同じことなのだ。慧遠の議論は、テキストの解釈と魂論もしくは心論とが別ものではないということを示唆しているのである。

## 4　神滅不滅論争

### †范縝の神滅論

「神」が滅びるのか滅びないのかは、慧遠の後、さらに緊張度を高めた論争になっていった。それが神滅不滅論争と呼ばれるものである。この論争は主に、斉（四七九～五〇二）、梁（五〇二～五五七）の時代に戦わされたもので、とりわけ仏教を庇護した梁の武帝（四六四～五四九、在位五〇二～五四九）の時期に論争が活発になった。この論争の成果を集めたのが梁の僧祐《そうゆう》（四四五～五一八）の編になる『弘明集《ぐみょうしゅう》』全一四巻（五一八年）である。

神滅不滅論争の中心人物は『神滅論』を著した范縝《はんしん》（四五〇頃～五一〇頃）である。范縝は「形」が亡べば「神」もまた滅びると主張した。その前提として唱えた原理が、「形神相即」すなわち「形」と「神」が相即しているというものである。これは、「形」と「神」は、ある「体（本体）」に対する二つの語り方であって、前者が「用（はたらき）」についての語り方であり、後者が「質（実質）」についての語り方であるというものだ。その具体例として挙げられたのが、「利（鋭さ）」と「刀」である。

神と質の関係は、ちょうど利（鋭さ）と刀の関係のようである。そして、形と用の関係は、ちょうど刀と利の関係のようである。さて、利という名は刀ではないし、刀という名は利ではない。しかし「このように利と刀は名において異なっているが」、利を捨てて刀はないし、刀を捨てて利はない。刀がないのに利が残って存在しているとは聞いたことがない。どうして形がなくなっても神が存在するといえるのだろうか。（范縝『神滅論』、『弘明集』巻九）

慧遠が用いた喩えである火と薪とは異なる例を、ここで范縝が挙げていることに注意しよう。鋭さと刀という喩えを持ってくることで、「用」と「質」という概念対を定義できたのである。この概念対は、アリストテレスのエイドス（形相）とヒュレー（質料）を彷彿とさせるものだ。そしてその両者が「相即」している、すなわち語り方としては異なるのだが、別ものではないと述べることができたのである。

こうした前提の上で、范縝が下した結論はこうである。

神は即ち形であり、形は即ち神である。したがって、形が存在していれば神も存在しているし、形が衰亡すれば神も消滅する。（同上）

とはいえ、事はそれほど単純ではない。アリストテレスが『魂について』において、「知性（ヌース）」が「離存」することを論じたように、「神」というはたらきの中でも知性的なはたらきに関しては、「形神相即」がうまく効かない場面が容易に想定できるからである。それは次のようなものだ。

問う。是非を判断する思慮は、手足に関わらないのであれば、どこに関わるというべきなのか。

答える。是非を判断する思慮は、心器《しんき》すなわち心臓がつかさどる。（同上）

やっかいなのは「心器」である。「形神相即」を守るためには、思慮というはたらきに対応する「形」がなければならない。そこで范縝は、心臓という臓器としての「心器」を持ち出した。ところが、その場合には、他の知覚器官である眼・耳・鼻・口と同様に、思慮もまた心臓という意味での「心器」において展開する特定のはたらきになってしまう。この定義だと、一方で、思慮の無限定性をうまく処理できないし、他方で、眼・耳・鼻・口による知覚には、思慮は一切関与しないことになってしまう。こうした困難さがもっとも先鋭的に露呈したのが次の地点である。

問う。思慮は基づくことのできる体がないから、眼という部分にやどることができるし、眼で視ることは基づくことのできる体がそれ自身あるから、他の部分にやどることができないのではないか。

答える。眼で視ることにどうして基づくものがあり、思慮にはないというのか。もしも［思慮が］わたしの形に基づかず、別のところにあまねくやどることができるようになれば、甲の情が乙の体に、丙の性が丁の体にやどることになる。そうなのだろうか。そうではあるまい。（同上）

問者は、思慮は、眼・耳・鼻・口における知覚においてもすでに同時に働いており、それは思慮が基づく「体」すなわち基体のない、無限定なはたらきだからだと考えている。それに対する范縝の応答は、実に興味深いもので、他人の「体」を持ち出してきたものであった。つまり、思慮に「体」がなくどこにでも「寄託」できるとすれば、他人の「体」にも寄託できることになるが、それはおかしいという議論である。議論の優勢劣勢だけを考えれば、范縝は思慮は眼・耳・鼻・口における知覚にはなく、「心器」においてのみはたらくと答えてもよかっただろう。ところが、范縝は、「形」「神」の議論の真の問題系は他者論にあるということを理解していたのだろう、ここで一歩踏み込んで、「神」の無限定性、すなわちわたしの魂や心は他人においてもはたらくのか、つまり魂は交わるのかという問題を考えたのである。

### †范縝への批判

范縝には多くの仏教に与する士人たちが反論を行った。彼らは儒教に裏打ちされた素養を用いて批判をしたのである。その一人である蕭琛《しょうちん》（四八〇〜五三一）は、范縝の外弟であり、大変親しい関係にあったが、仏教の立場を擁護するために、『神滅論』のほぼ全編にわたって批判を行った。その中で、思慮の問題に関しては次のように批判していた。

范縝『神滅論』は「心臓が思慮の本であるので、思慮は他の部分にやどることはできない」と述べている。この論は、口眼耳鼻についてであれば成立するだろうが、他人の心についてであれば成立しない。というのも、耳や鼻はこの体を共にしているとはいえ、互いに混じり合うことはないからだ。はたらきを主《つかさ》どるところが同じではなく、器官のはたらきが異なっているためだ。ところが、他人の心はあちらの形にあるのに、互いに交渉できる。これは神の原理がどちらも妙であり、思慮の機能がいずれにもはたらいているためだ。だから、

『書経』で「君の心をひらいて、わたしの心にそそぎ込め」、『詩経』で「他人には心があり、それをわたしは忖度する」と言っている。斉の桓公が管仲の謀に従い、漢の高祖が張良の策を用いたが、どれも自分の形に基づいた思慮を、他人の部分にやどした結果である。どうして「甲の情が乙の体に、丙の性が丁の体にやどることはできない」と言うのか。（蕭琛『難神滅論』、『弘明集』巻九）

ここで引用されている『詩経』の一節（小雅・節南山・巧言）は、第1巻第4章で触れたように、「忍びざる心」を問題にした『孟子』梁恵王上の記事でも言及されていたものだ。それは、儒家にとっては決定的に重要な、感情を通じて他者に触発される共感を論じたものだ。蕭琛の戦略は、そうした儒教的な問題系をわざわざ引用して、范縝の議論を解体しようというものであった。

蕭琛の議論のポイントは、コミュニケーションの可能性にある。わたしの思慮が他人に通じてしまうというコミュニケーションは、范縝の議論では説明がつかない。蕭琛は同様の議論を、夢という現象においても展開していった。

わたしはここで夢を論拠にして、形神が一体ではありえないことを証明しよう。人が寝ているとき、その形は無知のものであるのに、何かを見ることがある。これは神が遊離して〔他のものと〕交渉するからだ。ところで、神は孤立しているものではなく、必ず形器に憑《よ》りかかる。それはちょうど、人が屋外では暮らさずに、部屋を必要とするようなものだ。しかし、形器は汚れた質であり、部屋は閉塞《へいそく》した場所である。だから、神が〔遊離から〕形に戻るとその識はすこし暗くなる。暗くなるから、見たものが夢となるのだ。それはちょうど人が部屋の中に戻るとその神がにわかに塞《ふさ》がってしまい、塞がるから目が昧《くら》くなるようなものだ。そもそも人は、夢で玄虚《げんきょ》に上ったり、万里もの遠くへ行ったりする。これは、もし神が行くのでなければ、形が行くとでもいうのだろうか。形が行かず、神も遊離しないなら、いったいどうしてこのようなことがありうるだろうか。（同上）

寝ているときに「形」から「神」が遊離し、「神」と「神」とが互いに「接（交渉）」するからこそ、夢においてものを見たり、遠くへ行ったりできる。ここから、蕭琛は「形神相即」ではなく、「形」と「神」の合離、すなわち「神」が「形」から離れて存在しうるとする神不滅論、そして輪廻の証明を導くのである。

この夢の議論は『荘子』を参照しているが、それと同様の議論を、曹思文（生没年不明、梁の人）もまた深めていった。

寝ている時に、魂は交わる。だから神が胡蝶となって遊んだのは、形と神が分かれたからである。目覚めると形がはたらくので、ハッとして荘周であったのだが、それは形と神が合したのである。こうして、神と形は分かれたり合したりする。合すれば共に一体をなし、分かれれば形は亡び、神はすぎ逝く。（曹思文『難范中書神滅論』、『弘明集』巻九）

傍点部の前半は「寝ているときは魂が交わり、目覚めると形がはたらく」（『荘子』斉物論）からの引用であり、後半は胡蝶《こちょう》の夢（同上）である。このように、仏教と儒教の論争は、『荘子』や『孟子』あるいは『詩経』といった中国の経典をどう読解するかの争いでもあったのである。こうした夢による批判に対して、范縝は次のように反論する。

この［曹思文の］非難は弁を極めたとはいえるが、理を極めたとはいえない。あなたは神が遊離して胡蝶となることを述べるが、それは真に飛ぶ虫になったのだろうか。もしそうであれば、夢で牛になったなら人の車をひっぱることになるし、馬になったなら人を乗せることになる。しかし、次の朝には［もはや牛でも馬でもないのだから］死んだ牛や馬がいるはずなのに、そうした物がないのはどうしてなのか。（中略）夢や幻は虚仮であり、ひとりでにやって来たに違いない。ところがそれをいったん実在のものだとすると、なんとも奇異なことになる。目を瞑《つぶ》れば天空を往来し、座れば天海をめぐるとは、神が内に昏迷《こんめい》しているから妄《みだ》りにそのような奇異なものを見るのだ。荘周が実際に「胡蝶となって」南園を飛び回り、「夢を見て天帝のもとに行ったという」趙鞅《ちょうおう》が本当に天門に登ることなどあるわけがない。外弟の蕭琛も夢によってくだくだしく批判しているが、誰も相手にしない。（范縝『答曹録事難神滅論』、『弘明集』巻九）

范縝は夢で生じる現象を真実ではないとして退ける。夢は虚仮にすぎない。こうすることによって、他者が登場する事態や、その他者の魂と交わる事態を退けようとしたのである。しかし、このように夢を排除することによって、かえって范縝は「形神相即」の議論に強い実在性の主張をせざるをえなくなった。さきほど見た、思慮に「心器」を持ってくる議論はその典型である。それは范縝の議論から、ありえたかもしれない別の可能性を奪うものであった。

### †神滅論の可能性とアポリア

その別の可能性の中で、考えておきたいのは、「知性（ヌース）」が「離存」するというアリストテレスの能動知性のあり方である。「形神相即」が、アリストテレスのエイドス（形相）とヒュレー（質料）に相当するような「用（はたらき）」と「質（実質）」に基づいているとすれば、それが別の問題を引き起こすことになるとはいえ、質料的なものから離れた純粋なはたらきとしての思慮について考えることもできたであろう。その場合には、儒教だけでなく道家・道教的な魂に関する議論と接続しうるチャンスも生じたことだろう。ところが、強い実在性の要求に入っていったがために、そうした可能性を失ったばかりか、仏教との論争の中でいくつかの哲学的なアポリアに陥らざるをえなくなった。

そのアポリアのポイントだけ示しておくと、一つは、「形」と「神」の数が合わないという問題である。もし基体としての「体」に対する二つの語り方として、必ず「形」と「神」があるのなら、「形」と「神」の数は一致しなければならない。ところが、沈約《しんやく》（四四一〜五一三）が述べるように、人間の身体には数多くの名があるのに、それに一対一対応する「神」の名はない。「もし形と神が対応していて、いささかも違うことがないなら、どうして形の名ばかり多く、神の名は少ないのか」（沈約『難范縝神滅論』、『広弘明集《こうぐみょうしゅう》』巻二二）。それに関連する例として、沈約が挙げたのが、「刀」と「利（鋭さ）」である。「利」に対応するのは「刀」全体ではなくて、「刃」であって、「刃」以外の箇所には「利」は相当しないし、「刀」全体にも適用できないのではないか、というものだ。さらに沈約は、范縝の議論に従うならば、「死体」もまた何らかの物質として存在する以上、そこには何らかの「死神」を想定しないといけなくなるのではないかとも主張したのである。

もう一つは聖人である。聖人は中国においてはもっとも思慮深い理想的な人である。その聖人の特別な「神」のはたらきに対して、范縝は「形も凡人を超えている」（范縝『神滅論』、『弘明集』巻九）と述べてしまった。それには次のような批判が生じた。つまり、そうなると複数の異なる「形」を有した聖人がいる以上、複数の聖人の「神」を認めなければならなくなる。そうすると、聖人を聖人たらしめている聖性というイデア的なものがかえって揺らいでしまい、そもそも聖人を立てることもできなくなる。このような批判であった。

その他にも、范縝の議論では生から死への変化を把握できないとか、中国の祖先祭祀にとって決定的に重要な「鬼神（幽霊的なもの）」を扱うことが難しいという問題が出てきた。そして、こうしたアポリアは、後に、朱子学が仏教を乗り越えようとした時や、キリスト教が中国に入ってきた明代に、別の仕方で再燃することになるのである。

### †神滅論の行方

では、范縝の議論はどこに行き着いたのだろうか。『神滅論』の最後にこうある。

森羅万象は「自然」から受け取ったもので、どれも「独化」すなわちひとりで変化して、忽然としておのずと存在したり、なくなったりする。万物が生じることを防ぐことはできないし、消えるのを止めることはできない。万象は天の理に従って、それぞれの性に安んじているのだ。小人が田畑を耕すことを受け入れ、君子が質素を旨とする生活を保持すれば、耕して食べても食糧は尽きることはないし、養蚕をして衣服を作っても衣服が足りなくなることはない。つまり、下のものは余剰があれば上のものに捧げ、上のものは無為によって下のものに対する。そうすれば生を全うし、国を強くし、君主を覇者にできる。それは、ここにあげたやり方によるのである。(同上)

ここにある「自然」や「独化」が、西晋の郭象が洗練した概念であったことを思い出そう。それは結局は目の前に展開するものをすべて肯定することにほかならない。いかにしてこうなったかという問いを封殺することで、それは強力な本質主義に回帰し、すべてはそれぞれの「性」に応じて「自得」し「自足」するべきだというのである。

別の言い方をすれば、仏教が、「成仏」すなわち仏になるという目も眩むような変容を通じて救済を構想したのに対して、范縝は強力な君主のもとでの安定に賭けたのである。范縝はもともと斉の時代に、仏教信仰に篤《あつ》かった竟陵王《きょうりょうおう》の蕭子良《しょうしりょう》(四六〇〜四九四)に仕えていた。ちなみに、范縝を批判した沈約や蕭琛も「竟陵八友」という蕭子良のサロンのメンバーであった。

その蕭子良に范縝はこう述べていたのである。

最初、范縝は斉の時代に、竟陵王の子良に仕えていた。子良はひたすらに仏教を信仰していたが、范縝は盛んに無仏を唱えていた。

子良が問う。「君は因果を信じないそうだが、ではどうして富貴や貧賤の違いが世の中にありうるのか」。

范縝が答える。「人の生は喩えるなら、木に咲く花です。ともに同じ枝や萼《がく》に咲いたとしても、風に吹かれて落ちれば、あるものはすだれやとばりに触れて敷き物の上に落ちるし、あるものは垣根にひっかかって便所の方に落ちる、とひとりでにわかれます。敷き物に落ちたのがあなた様で、便所に落ちたのがわたしです。貴賤はこのようにして道を異にするのであって、因果などを容れる余地がいったいどこにありましょうか」。

子良はこの議論に納得できず、深く不思議に思った。そこで范縝は退いてその理を論じて『神滅論』を著した。（『梁書』范縝伝）

因果を否定して、現状をそのまま肯定しようとする范縝は、自分のことを便所に落ちた花であると言っていた。そこには何か言い難い苦い思いがあったのだろう。それでも、因果を否定することによって、「自然」に向かうのではなく、よりラディカルな偶然性に開いていく方向性もあったのではないだろうか。すなわち、エネルゲイアもしくはアレルゲイアとしての「花する」哲学を展開する可能性である。ただ、そのためには『荘子』の別の仕方での読解が必要ではあるのだが。

### さらに詳しく知るための参考文献

堀池信夫『漢魏思想史研究』（明治書院、一九八八年）……すでに絶版となっているようではあるが、六朝期の玄学を哲学として考えるためには、依然として多くの示唆を与え続けてくれるものである。最近も『老子注釈史の研究――桜邑文稿1』（明治書院、二〇一九年）を出版されており、王弼が再考されている。

中島隆博『共生のプラクシス――国家と宗教』（東京大学出版会、二〇一一年）……拙作で恐縮だが、六朝期の仏教と儒教とりわけ神滅不滅論争に関しては、「第4章　強死せし者と死体の方へ」において詳細に論じているので、参考にしていただきたい。

船山徹『仏典はどう漢訳されたのか――スートラが経典になるとき』（岩波書店、二〇一三年）……現在の翻訳論を援用しながら、仏典が漢訳されるプロセスを明晰に示したもの。翻訳が中国仏教の問題系を作り上げていったことの意義や、翻訳不可能な概念との格闘について、啓発されることが多い。

遠藤祐介『六朝期における仏教受容の研究』（白帝社、二〇一四年）……中国における仏教受容とりわけ六朝期に関しては、多くの研究論文や研究書があるが、その中でもっとも新しい書物の一つである。礼敬論争に関しては学ぶことが多かった。

第7章
# ゾロアスター教とマニ教

青木 健

## 1 世界哲学史と三〜六世紀のペルシア

### †ゾロアスター教の「思想的海抜高度」

本章は、世界哲学史の一環として、サーサーン朝ペルシア帝国時代（二二四〜六五一）の西アジアから中央アジアで成立した二つの「哲学」（すなわち、ゾロアスター教とマニ教）を扱う。但し、この両者はかなり性格を異にするので、まずはその概略を押さえておこう。

ゾロアスター教は、「神なき世界ではすべてが許される」というドストエフスキー的な切迫感を以て唯一の神を希求することなど、ついぞなかった。そのような観点からするならば、この宗教の信者は極めてノンシャランで、小春日和の倫理観の中に生きていた。彼らは、論理を構築し尽くした果てに、世界認識の極北が到来すると考える精神的態度は、最初から夢想だにしていない。彼らは決して生をそのように抽象化しようとはせず、より具体的・個別的なものへの強靭な執着を見せている。イラン人たるもの（実はこの限定が大事なのだが）、愉しく現世をおくれればそれで良いという妙に健康優良児的な発想がその根底にある。

この一見すると単純暢気な態度が、ゾロアスター教徒が編み出した思想をインパクトの弱いものにしている事実は否定できない。何しろ、彼らの「哲学」内部ですら、全く整合性が取れていないのである。彼らの「哲学」は、ギリシア哲学と相隔てること遥かに遠く、アブラハムの一神教と比べてもどこかしら異質だった。ノンシャランの上にこの「異質性」が加わるものだから、世界哲学史の上では、ゾロアスター教の「哲学」はいささか思想的海抜高度が低いように見積もられている。

だが、ゾロアスター教徒とて、恐ろしい闇夜の中で絶対の真実を捜し求める人間本来の志向は有していた。単にそれが、後代の世界哲学史から見て「一向に流行らなかった」というだけのことであって（悲しすぎる理由をさらっと書いているような気もするが）、さればとて、彼らが構築した哲学を無視し去るのは、知的傲慢と知的退廃以外の何物でもないだろう。

## †マニ教の「精妙な人工的哲学」

これに対してマニ教は、現実世界に対する激烈な敵愾心といい、その精神的対価としての光の世界への熱烈な希求といい、ゾロアスター教とは全く違う哲学的展望を垣間見せる。ゾロアスター教の方が、いわばイラン人が無手勝流に練り上げ、自然のままに（いつのまにやら）仕上がってしまった哲学であるのに比べると、マニ教は一人の作者が理知の限りを尽くし、丹精込めて工藝的に創造した人工的哲学である。作者の鋭い自意識が貫徹し、まぎれもない天才の刻印が押された「哲学」がマニ教と言える。ここには、ゾロアスター教に濃厚に揺曳していたイラン的土着性など全く見出せない。

もしも形式的完璧さと構成力を重視する読者であれば、ゾロアスター教よりもマニ教の方に共感を抱くかも知れないが、そのようなストレートな理解を許さない障壁がこの哲学にはある。何となれば、この哲学の創始者は、キリスト教をあからじめ定められた大前提とし、胆甕《たんかめ》の如き大胆さを発揮して、その道具立てを一式全部借りてきた。そして、その素材の借り物たるにもめげずに、自らの哲学的直観に従ってそれを組み替え、「これぞ真のキリスト教なり」と宣言して全世界に広めようと図ったのである。ついでながら、マニ教はペルシア帝国内で発生した思想であるにもかかわらず、敢えて遠方のキリスト教からの借用に拘《こだわ》り、先行するゾロアスター教を意に介していない。この事実が、ゾロアスター教の思想的貧相を間接的に反映している。

従って、そもそもキリスト教に詳しくない読者がこれを読んだところで、何の御託を述べているのか皆目了解できず、逆にキリスト教に詳しい読者がこれを読んだとしたら、何をふざけているのかと怒り出すのが関の山である。ゾロアスター教が「一向に流行らなかった」のとはまた別の理由をもって、マニ教は、瞬間的には人類史上稀な思想の迸《ほとばし》りを見せたものの、結局のところ流行らずに歴史の闇に埋もれていった。

### †流行らなかった哲学

　この「流行らなかった」との言明は、実際には複雑な論理の組み合わせから成り立っている。その部分をクローズアップしてみよう。第一に、それらは一時的に流行らなかった訳ではない。ただ、ゾロアスター教はイラン人以外には全く受容されなかったし、マニ教は流行った後に、より流行った哲学（キリスト教とイスラーム）によって、徹底的に証拠を隠滅されたまでである。筆者は、何もペルシアの二つの哲学を過度に悲劇化しているのではない。ギリシア悲劇よりも悲劇的なのが、ペルシアの哲学の運命だったのである。

　第二に、証拠を隠滅されやすい要因がペルシアの哲学の側にもあった。彼らが用いた中世イラン語（中世ペルシア語とパルティア語）は記述言語として全く成熟せず、抽象化された思想世界を展開するにはおよそ不適当であった。研究者の楽屋裏の事情を記せば、これらの文献を随喜の涙を流して解読するのは言語学者の仕事であって、ゾロアスター教研究やマニ教研究などというものは、思想研究者が好んで分け入るような道ではない。これでは、他者によって証拠を隠滅される以前に、自ら証拠を放棄していきかねない勢いである……そして、実際そうなった。余談であるが、このような事情であってみれば、中世ペルシア語の後継言語たる近世ペルシア語が、後世、遂にイスラーム世界の学術用語として定着せず、単に詩歌の文字として用いられたに過ぎなかったのも決して故なしとしない。

そして第三に、イラン語の文章表現の未熟の当然の帰結として、彼らの「哲学」は、神話の劇的構成力と——多分に不毛な——形容詞の羅列による訴求力に過度に依存し、思想表現の形態が一種の神話劇風のプリミティヴィズムの様相を帯びることになった。これをギリシア哲学から見れば、単に土俗的・通俗的な民話の集成としか映らなかったかも知れず、それは遥か以前にギリシア哲学が通過した道として認識されたであろう。また、アブラハムの一神教から見れば、崇高で洗練された『聖書』のストーリーに、僭越にも対峙しようと試みるアナクロニズムとしか捉えられなかったであろう。

## †超越的一者vs二元論

そのように流行らなかった哲学のために、世界哲学史を論じる本シリーズに敢えて一章を設けるのは何故だろうか。理由を簡潔に述べるなら、三〜六世紀当時、地中海方面から暗雲のように立ち込めてきた――ペルシアの視点からはこう見える――アブラハムの一神教が説く超越的一者の思想に対し、敢えて異を唱え、二元論を以て対抗しようとした哲学的独自性にある。これら一対の思想（アブラハムの一神教とペルシアの二元論）は、恰も表富士と裏富士の関係のようであって、双方を理解することで初めて古代末期の西アジアから地中海の思想界の状況を立体的に把握できる。

以下で筆者は、二元論という概念を光源としてゾロアスター教とマニ教を論じる。而して、その叙述の順序は、この二つの哲学の起源年代と完成年代を分けて考えるために、三層構造をとらざるを得ない。ゾロアスター教は、紀元前一七世紀～紀元前一二世紀の頃、現在の中央アジアに生まれたイラン人教祖ザラスシュトラ・スピターマが詠んだ詩文に端を発する。起源のみを問題とするなら、ゾロアスター教はマニ教に一五〇〇～二〇〇〇年先行する。

だが、この起源的発生を、思想的完成と誤認してはならない。ゾロアスター教の場合、教祖ザラスシュトラは単に思想的詩文を表明し、いわば種子を蒔いたに過ぎない。それが発芽して一応の果実を付ける年代は遥かに下り、マニ教の成立時期と完成時期を飛び越して、サーサーン朝ペルシア帝国の末期にまで突入する。従って、年代順の記述を意図する本稿では、彼が説いた原始的な二元論についての解説が、ゾロアスター教の思想的完成とは切り離されて第一層に配置される。

マニ教は、三世紀のメソポタミアに生きたイラン人教祖マーニー・ハイイェー（二一六〜二七七）による独創である。彼は、同じイラン系の血を引くといえども、ザラスシュトラのように当時の文明世界の遥か辺境で、牧畜生活を営んでいた素朴な人物ではない。それどころか、三世紀には最も都市化が進み、人口稠密《ちゅうみつ》だったメソポタミアで活動した極めて都会的な人物である。その文化的洗練を最大限に生かして、教祖自らが書物を執筆し（但し大部分はアラム語で）、それがそのままマニ教の思想として確立した。いわば、マニ教の発生とマニ教思想の成立はイコールで結ばれる。従って、マニ教思想全般の解説が、第二層に現れる。

そして、それに遅れること三〇〇年の時を経た六世紀の頃に、ゾロアスター教が一個の思想的有機体として完成する。ことここに至るまで、教祖ザラスシュトラ以降の原始ゾロアスター教がどのような運命を辿ったのかは、実はよく分かっていない。しかし、キリスト教の成立という一大事件を挟み、六世紀の思想成立の段階では、アブラハムの一神教をことさらに意識せざるを得なかったはずである。しかも、それが書物化して確立されるのは、更に時代が遅れて、イスラーム時代に突入した九世紀のこと。従って、思想の確立という尺度で測った場合、ゾロアスター教はマニ教に三〇〇〜六〇〇年は遅れる計算になる。

以下では、ザラスシュトラ・スピターマの原始的二元論を、まずは問題にする。次に、マニ教の成立（つまり完成）を扱う。その後で、いわばそれに追随する形で体裁を整えたゾロアスター教の記述に進む。あらかじめ定式化を明示しておけば、第一層は「一神教的二元論」、第二層は「厭世的霊肉二元論」、第三層は「楽天的善悪二元論」としてまとめられるだろう。

## 2 ザラスシュトラの一神教的二元論

### †双子の原初的聖霊

ペルシアの二元論の源泉は、遠い昔に――これ以上限定できない――、ザラスシュトラ・スピターマが中央アジアの何処かで――こちらも、これ以上限定できない――詠んだ詩文「ガーサー」に端を発する。他に類似の思想を有したイラン人が複数存在したかも知れないが、その詩文は残存していないので、考察するに足りない。以下では、「ガーサー」中で最もよく二元論を表明している部分を参照してみよう。後六世紀に編纂されたゾロアスター教聖典の中では、『アベスターグ』「ヤスナ」第三〇章第三～四節と呼ばれる箇所に当たる。

二つの双子の原初的聖霊が、［私＝ザラスシュトラに］夢の中で出現した。彼らの思考、言動、行動の方法は、二つだった。つまり、善と悪である。これら二つの間で、賢者は正しく選び、愚者はそうではないだろう。これら二つの聖霊が出会った時、彼らは最初に生命と非生命を打ち立てた。最後には、虚偽の追随者には最悪の存在が齎《もたら》され、真実の追随者には最善の思考が齎されるだろう。

この古代イラン語の詩文には幾通りもの解釈があるのだが――何分、三五〇〇年ほど昔の詩文なので、本義は誰にも分からない――、大筋としては、とりあえずザラスシュトラの肉声で、「真実と虚偽の双子の聖霊」が対峙し、人間はどちらかを選んで追随せねばならないことが語られている。これほど古い詩文が堂々と伝存しているということは、当時このメッセージが有していた思想的インパクトがどれほどのものだったかを物語っている。

## †双子の原初的聖霊の父

而して、ザラスシュトラの原始的二元論では、完全に隔絶した二つの聖霊が、一切の関係を絶って対立している訳ではない。おそらく両者に和解の余地はないだろうが、ザラスシュトラはその起源を同一と考えている。すなわち、『アベスターグ』「ヤスナ」第四七章第三節には、最高神アフラ・マズダーが、善なる聖霊スペンタ・マンユと悪なる聖霊アンラ・マンユの双子の「父」だとされているのである。

ここにザラスシュトラの思考の複雑さがある。双子の聖霊が対立している局面だけを取り出せば、彼の思想は典型的な二元論である。しかし、両者の上に起源としての最高神アフラ・マズダーを措定する点では、善悪は完全に分離した存在ではなく、実際には一つの起源のポジとネガの関係にあることを示唆し、多分に一神教への志向を孕む。プリミティヴであるだけに、却って多義性を内包し、一筋縄の解釈を許容しないのが、ザラスシュトラの「一神教的二元論」である。

この状況を図示すれば、左記のようになるであろう。これを一神教と呼ぶべきか、二元論と呼ぶべきかは、甚だ人を戸惑わせる問題である。

「父」アフラ・マズダー
→ 善なる聖霊スペンタ・マンユ
→ 悪なる聖霊アンラ・マンユ

### †人類の選択

とまれ、人類の目の前に差し出された選択肢としては、真実と虚偽があるだけである。ここにゾロアスター教に特有の倫理的特徴がある……もっとも、その善悪の基準たるや極度にイラン的で（本稿では詳説しないが）、他民族にはおいそれと付いていけないような代物ではあったのだが。それはともかくも、人間は生まれによるのではなく、善悪の前に唯一人立っての主体的判断で、真実の側にも虚偽の側にも属せるとされた。

ザラスシュトラは、このように峻厳な真実と虚偽の区別をつける以上、一個の精神としては非妥協的で、激烈な慷慨家《こうがいか》だったのではないかと思われる。それを哲学史上で初めて、倫理的に晴朗な人間像を結ぶところまで昇華し、一神教と二元論と人間倫理を一本の線として繋げたのである。筆者はこの点に、ザラスシュトラの思想的独自性を感じている。

而して、このような稲妻が遠方で轟く時、その閃光と雷鳴の間には、永い時間が経ってしまうものである。中央アジアでザラスシュトラが放った稲妻がペルシアで雷鳴として響くまでには、およそ二〇〇〇年以上の歳月が必要だった。

## 3　マニ教の厭世的二元論

### †マニ教の思想的系譜

次に、マニ教の解説に移る。「イエス・キリストの使徒」を自称したマーニーに従えば、『旧約聖書』の神と『新約聖書』の神は、全く異なる別種の超越的存在である。パウロはこの点を誤解して二つの神を同一視し、過てるキリスト教を世に広めてしまった……パウロの霊は宜しく改悛すべきである。

偽の使徒パウロに代わる真の使徒マーニーの預言によると、『旧約聖書』の神は、暗黒世界から人類に発せられたメッセージで、物質の中に捕囚された状態に安らぐことを教えている。これに対して『新約聖書』の神は、人類の本来の故郷である光の世界への帰還を説く霊的メッセージで、一刻も早く濁世から離脱するように教える。斯くマーニー流に解釈されたキリスト教こそが、「真のキリスト教」であった。彼の教えを「マニ教」と称するのは、本人の自意識とは懸け離れた後世からの蔑称である。

このように『旧約聖書』の神と『新約聖書』の神を分離し、その二柱の神の間に対立構造を構築しようとするからには、哲学上これが二元論の体裁をとるのは必然である。ただ、それが拠って来るところが何処なのかとなると、実証的研究は甚だしく異なった答えを準備する。一つの可能性としては、マニ教は原始キリスト教の枠の中で、その聖典解釈を巡って論戦が行われる中で、一般にグノーシス主義と呼ばれる立場から派生した思想だと理解されている。この立場の最大の論拠は、マーニー本人が「イエス・キリストの使徒」を名乗り、自らの教えを「真のキリスト教」と名付けている以上、これはどう見てもキリスト教文化圏の問題意識の中でしか成立し得ないという点にある。

もう一つの可能性として、マーニー自身の出自と出身地に着目した場合、ゾロアスター教からの影響が考えられる。マーニーは、母方ではアルシャク朝王族に連なるイラン貴族であり、出生地はメソポタミアのバビロン郊外マールディーヌー村で、これまたアルシャク朝版図の中枢である。無論、これらは所与の条件であって、マーニーが自発的に選択したものではない。しかし、マーニー本人も、自らが二四歳の若さで開教した「真のキリスト教」を布教するに当たり、アルシャク朝の後継国家であるサーサーン朝の第二代皇帝シャーブフル一世（在位二四〇～二七二）への謁見を求め、その裁可を得た後は、基本的には宮廷医師として、ペルシア帝国内で活動しているのである。これだけの外的条件が揃い、しかもマーニーの思想が著しく二元論的な相貌を帯びているとなると、ここにゾロアスター教の影響を想定する立場も、一定の賛同を得るに足る。

二〇一〇年代には、マニ教研究上、前者の立論が圧倒的に優勢である。筆者としては、思想的系譜上では、マニ教はペルシア的二元論の亜種というよりは、キリスト教のペルシア的変種として捉える方が相応しいのではないかと考えている。

## †神話劇風のプリミティヴィズム

マーニーの思想は、二四〇年前後という古代末期が最も緊張した時代に形成された。そこでは、ザラスシュトラの詩文のように、ふわりとした「父」が全体を覆う緩い二元論が表明されるのではなく、当時の世相を反映して、鬼気を帯びるほどに妥協の余地のない二元論が構築されている。その背景には、霊魂と肉体を二つに分け、前者に全てを賭けようというしたたかな孤独があり、マーニーはそれを――ギリシア哲学風の論証ではなくして――、当時のメソポタミアやペルシアの流儀に倣って、神話劇としてマニフェストしたのである。

マーニーの図式に従えば、光の霊的世界と暗黒の物質世界は、永劫の昔から対立関係にあった。両者の間で戦端が開かれると、光の世界の第一の騎士アフラ・マズダーは、何たることかあっさり暗黒の王アンラ・マンユの捕虜になってしまい、光の要素が物質世界の虜囚となる端緒を作った……確実にゾロアスター教徒を激怒させる配役である。

これを救うべく出撃した第二の騎士ミトラは、首尾よく暗黒の世界全体を包囲して「宇宙」の中に封印したものの、その中に入れ子構造で捕囚された光の要素を全て救出するまでには至らなかった。暗黒の王アフレマンの方もさるもので、永劫に光の要素を物質の中に捕囚しておくべく「人間」を創造し、生殖能力を賦与することによって、その拡大再生産を目論んだ。

ことここに至って第三の騎士たる光のイエスが到来し、世界中に使徒を派遣して、人間たち——に内在する光の要素——に、本来の故郷たる霊的世界への帰還を呼び掛けた。その代表が、ザラスシュトラ、仏陀、イエス・キリスト（光のイエスとは別人）であり、マーニーは（パウロとは違い）イエス・キリストの教えを正しく理解した最後の使徒なのである。

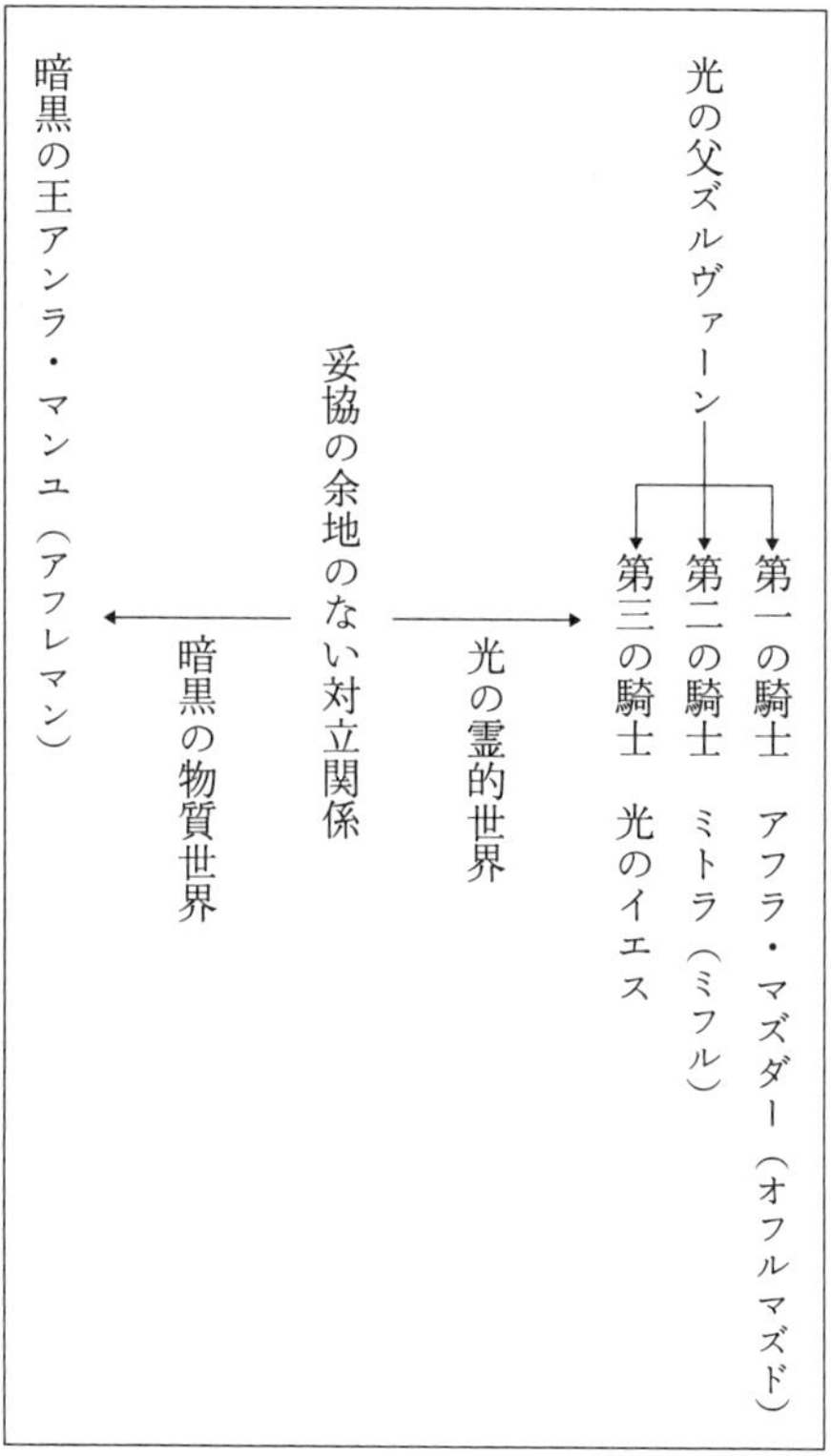

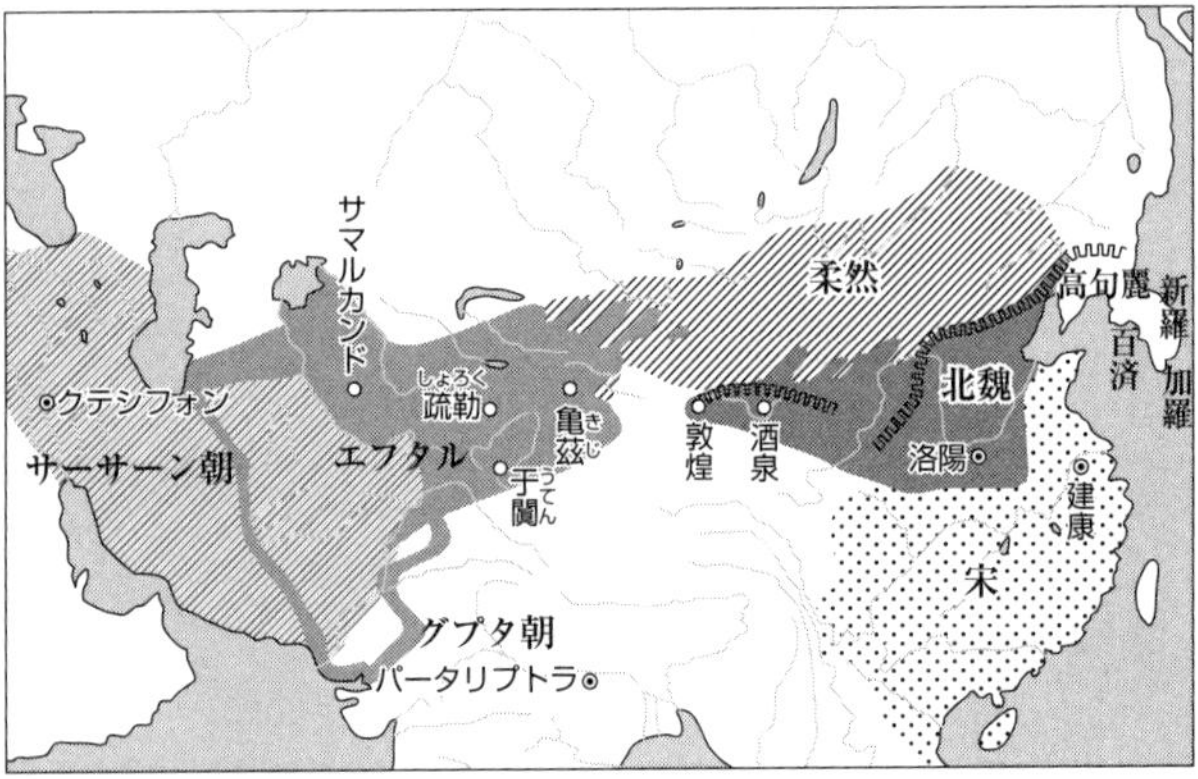


内陸アジア（5世紀ごろ）

以上を図示すれば、前頁のようになるであろう。

マーニーだけが、この複雑怪奇で、現実の人類史の遥か彼方で演じられている超越世界の顚末を幻視しえた点に、彼の思想の不思議な説得力がある。多分、彼は、ストーリーテラーとして頗《すこぶ》る有能である。

## †時代精神の体現

一個の思想の哲学的完成度と、その同時代へのインパクトは、自ずから別の問題である。そもそもマニ教の考え方を突き詰めていけば、暗黒の勢力によって創造された人類は、最終的には死滅した方が良いことになる——無論、体内の光の要素を解放した上での話だが。とすると、この哲学は、それを受容した人間が自己破壊を志向するという自家撞着の上に成り立っており、マニ教が拡大すればするほど、人類の総人口に占めるマニ教信者の割合はいよいよ減少していかざるを得ない。この美しい観念的教えは、吸引すればそのまま窒息しかねない猛毒を孕むのである。

それにもかかわらず、マーニーの強烈な主観哲学に賛同する人々は、古代末期にあっては予想以上に多かった。西に向かっては、当時のキリスト教の淵叢たるエジプトの人口の何割かを改宗せしめ、東に向かってはシルクロードを辿って遠く中国にまで「摩尼教」として伝来した。現地で土着思想と混淆したマニ教思想は、既にマーニー本人の哲学とは異なるものに変質してしまっていたが、それでも古代末期のメソポタミアの知識人の夢と混乱を同時に体現し、霊肉二元論というペルシア的古典美（見方によっては退廃美）を、その知的背理と共にユーラシア大陸全域に伝えたのである。

## 4　ゾロアスター教の楽観的二元論

### †アフラ・マズダーとスペンタ・マンユの融合

メソポタミアの地でマニ教が興隆し、後世の我々が「キリスト教」と呼ぶところの教えもペルシアに進出するさなか、それを受けて立つゾロアスター教は、新たな思想的局面を迎えてい

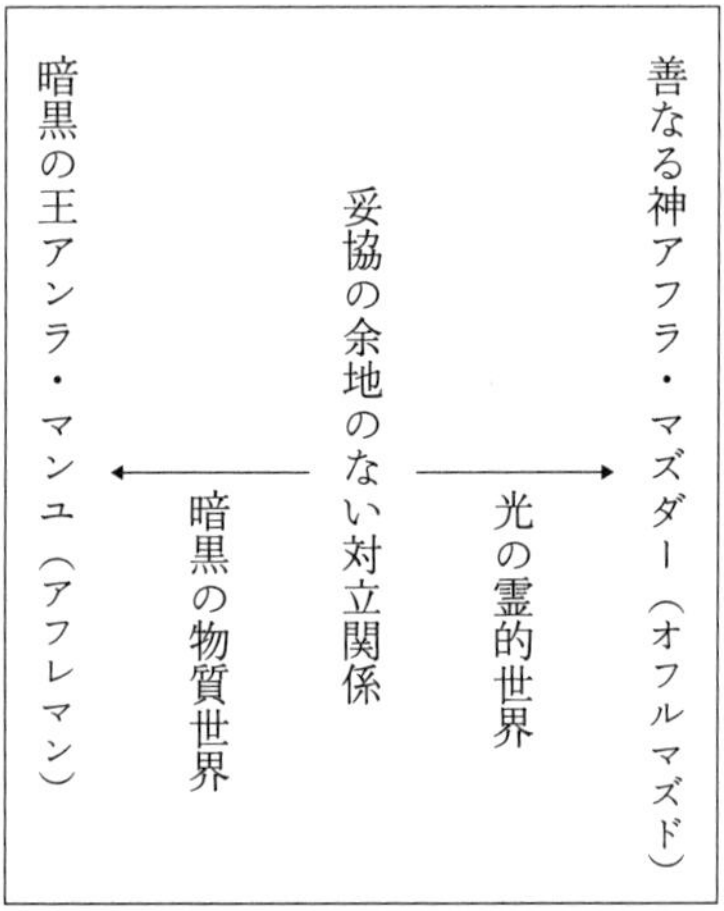


た。六世紀に完成された中世ゾロアスター教思想を九世紀にまとめた文献群（このあたりの文献学的考証は非常にややこしい）では、教祖ザラスシュトラが思い描いていた図式が解体し始めるのである。すなわち、善悪二つの聖霊の父たる唯一神アフラ・マズダー（中世ペルシア語ではオフルマズド）の地位が急激に下落し、善なる聖霊スペンタ・マンユとの同化が進む。

　とすると、善なる神アフラ・マズダーと暗黒の王アンラ・マンユ（中世ペルシア語でアフレマン）は、直接の抗争関係に陥らざるを得ず、両者を架橋する存在は消失する。いわば、教祖ザラスシュトラが一神教的な含みを持たせた善悪二言論を説いたのに比べると、大きく二元論に傾斜したのが、六〜九世紀の中世ゾロアスター教である。この思想改変の理由は定かではないが、西方から迫り来るキリスト教への反発として、敢えて一神教との差異を強調する方向へ舵を切ったのであろう。

　以上の説明を図示すれば、右のようになる。一般に「ペルシア的二元論」として人々が頭に思い描くのは、この図式ではないかと思われる。これは、実際には、ゾロアスター教の最終局面での思想を反映したものに過ぎない。

## †古代末期の小春日和

だが、善なる神と暗黒の王が直接対峙する中世ゾロアスター教の二元論は、不思議とメソポタミアの都会っ子マーニーが説いた類似の構造のような容赦のなさを感じさせない。イラン高原の片田舎ペルシアで発展した中世ゾロアスター教は、マニ教ほどに細部を詰めた精緻な神話を持たない代わりに、奇妙に楽天的で、世界に対しておおらかである。この宗教の信者は、西方から超越の神を奉じる一神教が迫り来る中で、ペルシア帝国という古代オリエント以来の政治的・軍事的外殻に鎧われつつ、ペルシアに独特のものの感じ方、趣味志向、敢えていえば好尚を、最後の小春日和の中で謳歌していたのである。

それは、西アジア全域が一神教で覆われた七世紀以降の思想が、永遠のオブスキュリティーの中に取り逃がしてしまった何物かである。一言でいえば、同じ二元論の形式を採りつつも、マニ教とは対極にある楽天的な哲学態度がそれに当たる。上記の善悪二元論は、霊魂と肉体の対立を前提としない。善は霊的次元でも物質的次元でも同じ存在強度で具現化しうるが、悪は霊的次元でのみ現れ、物質的次元では無理をしながら存続している。

従って、この善悪の闘争の帰趨は、それが開始された時から明らかであり、人類は決着が始めから見えている勝負の中で、善への貢献を求められるに過ぎない。しかも、たとえ悪へ加担した人間であっても、最後の審判の後では、許されて善人と共に楽園へ向かうとされる。

この思想がどれだけ当時の人間の知的欲求を満足させたかは不明だが、筆者としては、中世ゾロアスター教はその生きた時代に於いて幸福だったと思う。その後の西アジアの思想史の中で、このように軟体動物の如く摑みどころのない哲学が世を覆ったことは、一度もないのではなかろうか。

## †超越の唯一神の挑戦

ここまでのデッサンで、三〜六世紀のペルシア帝国で栄えた二つの二元論の概略を記述し終えた。最後に、その終焉についても触れておきたい。ゾロアスター教もマニ教も、形而上的レベルでの終焉に先立って、形而下レベルでの衝撃が現れた。すなわち、七世紀に起こったアラブ人イスラーム教徒のペルシア帝国侵攻であり、その結果としてのペルシア帝国の壊滅である。

これは、形而上的な意味で、二元論が超越の一神教に敗れたことを意味しない。二元論は、形而上的論争に敗れて退場を宣告される前に、軍事力による不可抗力で舞台から引き摺り下ろされてしまったのである。政治的・軍事的支柱を失ったペルシアの思想は、それでも三〇〇年間に亙って、思想の生命力だけで持ち堪えた。ゾロアスター教が最後の知的活力を見せて、中世ペルシア語の文献群を書き綴ったのはこの時期のことである。また、マニ教は、八世紀の頃になって、何かの仇花のようにウイグル王国の国教になっている。

筆者は、ここまで解説してきた二つの二元論が、古代末期に於ける人類の知的幻想の水準からどれだけ抜きん出たものかを判断できない。それは、世界哲学史のシリーズを読んだ各読者の感想に委ねるしかない。ただ、ゾロアスター教とマニ教というペルシアの二元論は、古代末期の夕暮れ時に突然現れ、瞬間的な光を放って没した流星のように、二一世紀に至るまで強烈な残像を——人々がそれに気付くことは稀であるが——残しているのである。

その残像は、フリードリヒ・ニーチェ（一八四四〜一九〇〇）が敢えて反キリストの立役者としてザラスシュトラに仮託した『ツァラトゥストゥラ（古代イラン語ザラスシュトラのドイツ語読み）かく語りき』にまで揺曳《ようえい》している。もっとも、ニーチェの選択には、恋人ルー・ザロメ（一八六一〜一九三七）の結婚相手となったゲッティンゲン大学イラン学教授カール・アンドレアス（一八四六〜一九三二）が、たまたま古代イラン学の創始者だったという個人的な事情も絡んでいると思われるのだが。

## さらに詳しく知るための参考文献

メアリー・ボイス『ゾロアスター教　三五〇〇年の歴史』（山本由美子訳、筑摩書房、一九八三年）……原著は、二〇世紀後半のゾロアスター教研究のスタンダードとなっていた名著。

岡田明憲『ゾロアスターの神秘思想』（講談社現代新書、一九八八年）……一般には論じられることの少ないゾロアスター教の神秘思想に焦点を当てた珍しい著作。

前田耕作『宗祖ゾロアスター』（ちくま新書、一九九七年）……ヨーロッパに於けるゾロアスター伝説を論じた著作。

ミシェル・タルデュー『マニ教』（大貫隆・中野千恵美訳、白水社〈文庫クセジュ〉、二〇〇二年）……原著は、フランスのマニ教研究をリードしていたタルデューによる名著。

青木健『新ゾロアスター教史』（刀水書房、二〇一九年）……ゾロアスター教思想の発展の頂点を、サーサーン朝時代と見る立場からの概説書。

第8章

# プラトン主義の伝統

西村洋平

## 1 前一世紀から後六世紀までのプラトン主義

### †「プラトン主義」とは

「プラトン主義」とは何だろうか。最も狭い意味から最も広い意味まで含めて、大きく分けて三つのプラトン主義が考えられるだろう。

第一に、前四世紀にプラトンが設立した「アカデメイア」に属する哲学者たちは「プラトン主義」の伝統に含められる。そのメンバーには、アリストテレスのほか、懐疑主義となったアルケシラオスやカルネアデスなどが属する（第1巻第9章3参照）。この学園は、前八六年、ローマの執政官スッラが、ポントス王ミトリダテス側につきローマに反旗を翻したアテナイを制圧するまで存続していたと考えられる。その後のプラトン主義者たちは、この学園で活動していた懐疑主義者たちを「アカデメイア派」と呼び、「プラトン主義」である自分たちとの違いを強調することになる。

アカデメイアという制度的な権威なきあと、プラトンとそのテクストを権威とする哲学者が現われる。これが第二の意味での「プラトン主義」である。もちろん、懐疑主義者もプラトンのテクストのうちに懐疑主義の要素を見出していたのであり、その点でプラトンを権威とみなすプラトン主義者である。またプラトン主義者たちのなかには、ピュタゴラスがプラトンの源泉――あるいは両者は共通の思想を持っていた――と考える者もおり、「ピュタゴラス派」――あるいは古代のそれと区別して新ピュタゴラス派――と呼ばれたりする。とはいえ、本章ではそうした哲学者たちもプラトンのテクストに権威を認めているという点で「プラトン主義」の伝統のうちに含めることにする。

第三に、プラトンのテクストを権威とはしないが、そこを知的源泉として自らの哲学を展開したり、ある特定の思想――たとえばイデアのような形而上学的なものの存在を認める思想――をとったりする哲学者をプラトン主義と呼ぶこともある。こうした広い意味で、現代の分析哲学者たち――たとえばフレーゲやクワインなど――もプラトン主義と呼ばれうる。

本章が取り上げるのは、学園アカデメイアがなくなった前一世紀から、五二九年に東ローマのユスティニアヌス帝によって「異教」のものであるギリシア哲学の教育が禁止されるまで続いたプラトン主義の伝統である。この時期に活動した哲学者たちは、アカデメイアに属していないので第一の意味のプラトン主義者ではないが、イデアという超越的な原理を認めていた点で第三の意味のプラトン主義者である。しかし、現代の哲学者とは異なり、プラトンを権威とみなす第二の意味でもプラトン主義者と呼ばれる。

## †中期プラトン主義と新プラトン主義

先に述べたように、アカデメイアという地理的・組織的な拠点がなくなると、プラトンの思想をテクストから引き出そうとする哲学者たちが現われた。このプラトン主義の興隆は地中海世界の各地で起こった個別的な運動であった。一七六年にローマ皇帝マルクス・アウレリウスがアテナイに、ペリパトス派、ストア派、エピクロス派とともにプラトン主義の学校を開いてからも、その傾向は続いたと考えられる。この前一世紀以降のプラトン主義は、それ以前のアカデメイア派（懐疑主義あるいはそれ以前のプラトン主義）と、プロティノス（二〇五～二七〇）以降の新プラトン主義の中間にあるものとして「中期プラトン主義（Middle Platonism）」と呼ばれる。この名称は二〇世紀初頭の古典学者プレヒターによって導入された。

他方で「新プラトン主義（Neo-platonism）」という名称は一八世紀のドイツの哲学史家たちに遡る。ブルッカーによる『批判的哲学史』（一七四二～一七六七）によって、プロティノス以降は諸説・諸宗教を体系なく混合する悪しき折衷主義だという見方が確立された。その影響から、それ以前の体系的で正統のプラトン主義からの断絶を表すために、プロティノスたちを「新プラトン主義者」と表現することが一般的になる。当初、この表現には否定的なニュアンスが込められていたのである。

以上のように、「中期プラトン主義」「新プラトン主義」という区別は、現代的なものである。古代の哲学者たち自らが「新」だとか「中期」だと自覚しそう自称していたわけではないし、思想的な断絶が見られるわけでもない。そのため、この区別をなくすべきだという論者も多い。しかし、違いがあるのも事実である。たとえば、新プラトン主義はプラトン『パルメニデス』を形而上学的な著作として注釈するが、中期プラトン主義にその傾向はあまりない。またポルフュリオス（二三四頃〜三〇五頃）以降、新プラトン主義者はアリストテレス哲学を注解するようになる。そうした思想上の違いは別にしても、中期と新という区別は、六〇〇〜七〇〇年にわたるこのプラトン主義の伝統をほぼ半分にする点で便利だと言える。本章でも、前一世紀以降三世紀以前の哲学者たちを「中期プラトン主義」、プロティノス以降を「新プラトン主義」と呼ぶ。

## †伝統の終焉

新プラトン主義者たちの時代、中期プラトン主義の頃には活動していたストア派やペリパトス派は影を潜め、キリスト教やグノーシス主義、ヘルメス主義など新しい宗教・神秘思想が興っていた。たとえばプロティノスの教室にはグノーシス派が、出入りしていたとされる（『プロティノス伝』第一六章）。プロティノスはそのグノーシス派を論駁する論考を書き、その弟子ポルフュリオスも、ゾロアスターの名を借りた偽書への論駁を書いたという。さらに、三八八年ローマ帝国で国教化されたキリスト教が台頭すると、これに対抗するかのように、新プラトン主義も様々な宗教的要素を取り入れて、独自の展開を見せることになる。

やがてプラトン主義は「異教」の哲学となり、哲学者たちの命も危機にさらされる。有名な女性哲学者ヒュパティアは、アレクサンドリアで活動していたが、四一五年に暴徒によって殺害されてしまう――ただし、キリスト教徒による暴挙であったかは不明。アテナイでは、プルタルコス（四三二没）が哲学を教える学園を開いていた。しかし、そこにやってきた若きプロクロス（四一二～四八五）が、人目もはばからずに月に礼拝したことに周りの哲学者たちは衝撃を受けたというエピソードを、プロクロスの弟子マリノス（四四〇頃～五〇〇頃）は伝えている（『プロクロスあるいは幸福について』第一一章）。このような月への礼拝ですら、公然とはできない社会状況であったことがうかがえる。その圧力は強まり、学園を受け継いだプロクロスも、「巨大な禿鷲のごとき人々」（キリスト教徒の隠語）に囲まれ、アテナイを一年の間離れざるを得なかったという（同第一五章）。五二九年、異教哲学の教育が禁止され学園は消滅する。当時の学頭ダマスキオス（四六二頃〜五三八頃）はシンプリキオス（五〜六世紀）らの弟子を引き連れてペルシアに行き、ホスロー一世の庇護を求めたという。しかし、そこでの待遇に失望した哲学者たちは、東ローマとペルシアの間で協定が結ばれた後、ペルシアを離れたとされるが、その後の足取りは不明である。

五二九年に、プラトンを権威として、そのテクストを解釈するというプラトン主義の伝統は途絶えたと言えるだろう。しかしそれ以降も、アレクサンドリアのプラトン主義者たちは、アリストテレス注釈を中心に活動を続けていたようである。フィロポノス（四九〇頃〜五七〇頃）はキリスト教徒であり、オリュンピオドロス（六世紀頃）にもキリスト教徒の弟子たちがいた。また六世紀頃のシリアで活動したと推測されるキリスト教神学者ディオニュシオス・アレオパギテスはプロクロスを読み、独自の神学を発展させた。さらに新プラトン主義者の著作は九世紀にアラビア語に翻訳・翻案されることで、東方に広まって行く。このように、プラトン主義の伝統の終焉は、キリスト教哲学やアラビア哲学という新たな始まりでもあった。

## 2　注釈の伝統

## †プラトンへの脚注？

現代の著名な哲学者ホワイトヘッドは、「ヨーロッパの哲学伝統の最も安全な一般的性格づけは、それがプラトンについての一連の脚注からなっているということである」と述べている（第1巻第1章2で引用）。誰かが主張したことが真かどうかを確かめるとき、人は事実に訴える。しかしその事実そのものが、ある哲学的伝統の有力な思想の枠組みの影響下にあるかもしれない。ホワイトヘッドの有名な一節は、そうした西洋哲学の枠組みを捉えようとしたものである。この定式化に正否もあるだろうが、本章で扱うプラトン主義者はこれに近い哲学史観を持っていた。

シリアで活動したと考えられるヌメニオス（二世紀頃）によれば、プラトン哲学はバラバラにされてしまい、その部分部分は批判されて傷つけられてしまった。たとえばヘレニズム期にアカデメイア派とストア派は論争を繰り広げたが、どちらもバラバラにされた仕方でプラトン哲学の一部を持っている。彼らは、部分しか持たず全体が見えていなかったため論争を繰り広げることになった。しかしそれは、その全体像を知っていれば攻撃しようと思うことのない部分同士の攻撃であり、自己矛盾、誤解によって作り上げられたプラトンとのシャドーボクシングに過ぎない（断片二四〜二五）。

プラトンの全体像を再構成する試みがプラトン主義者たちの営みであり、それはプラトンのテクストを読み注釈することで行われた。この見方に従えば、真理を探求する哲学はプラトンへの注釈としかなり得ない。ある主張の真偽を確かめるために参照すべき「事実」はプラトンに他ならないからである。プラトン主義者たちはホワイトヘッドの一節に次のように付け加えるであろう。プラトン哲学こそが「事実」そして真理であり、その権威なのだと。

「権威」といっても、その権威に対する態度は様々である。ある人Xが、ある事柄について、別の人あるいはものYに対して信頼を置く場合、YはXにとって権威となる。問題は「信頼」の度合いである。その信頼は、正当な根拠を持っている場合もあれば、懐疑的なものも、盲目的な場合もあるだろう。プラトン主義者たちは真理についてプラトンに権威を認めたが、決して盲目的に信頼を置いていたのではない。プラトン自身が語るように、書かれたテクストは、作者なくしては自己自身を守ることができない(『パイドロス』二七五D〜E)。プラトン主義者たちは、アリストテレスやストア派の批判に対して、また他のプラトン主義者の解釈に対して、自ら解釈を行い、プラトンが正しいことの根拠を示している。

注釈のスタイルも新プラトン主義に至って定型のようなものができあがる。注釈に入る前に、各著作の意図、真作偽作問題などを扱い、教程における位置づけ、読者や注釈者自身に必要な予備知識は何かといった、細かい項目を解説することが慣例となる。またアリストテレスはプラトン哲学の導入として位置づけられる。さらにその哲学教程全体の導入として、ポルフュリオス『エイサゴーゲー』(導入の意)が据えられた。さらにこの『エイサゴーゲー』の注解、『哲学入門』といった著作が多く書かれることになる。

## †プラトンの対話篇の分類

プラトンを権威としたこの時代の哲学者たちは、プラトンの著作の整理を行う。伝記作家ディオゲネス・ラエルティオス(三世紀頃)の伝えるところによれば、ロドスで活動したトラシュロス(前一世紀〜後一世紀頃)は、悲劇の形式にならってプラトンの著作を九つの四部作にまとめたという。この四部作にまとめる編集方法は、初の活字印刷となったアルドー版(一五一三年)で使用され、現在オックスフォード古典叢書から出ているプラトン全集もそれを用いている。そのほかにディオゲネスは、プラトンの著作をその性格に基づいて分割する分類も伝えている。

古代には、現代しばしばなされるような、執筆時期の推測に基づいた分類(初期・中期・後期)は見られない。しかし、どの対話篇から読むべきかという議論はなされていた。トラシュロスの第一の四部作は、ソクラテスの裁判から死刑までを舞台にした対話篇『エウテュフロン』『ソクラテスの弁明』『クリトン』『パイドン』が収められている。そこに、ソクラテスへの導入から始めるという彼の意図が見られるだろう。これに対してアルビノス（二世紀頃）は、プラトンの著作は円のように完璧なので、ここから始めるべきだという出発点はないという。むしろ、教育上の観点から、そして読む者の条件――年齢、市民・政治活動をしているかどうかなど――に応じてプラトンの著作の出発点を決めるべきだとしている（『プラトンの哲学序説』第四～五章）。

新プラトン主義の時代にはより教義的な順序が設定されることになる。イアンブリコス（二四五～三二〇頃）は自然学の頂点を『ティマイオス』、神学の頂点を『パルメニデス』として、そこに至るための一〇の対話篇の順序を設定したと伝えられている（著者不明『プラトン哲学への序説』第一〇章）。それはさらに、倫理的（性格的）、市民・政治的、浄化的（身体から魂を分離する段階）、観想的（純粋な知的活動）と高まる徳の段階に沿ったものとなっている。そうしたプラトンの著作の前に、アリストテレス、哲学入門が添えられたのである。これらはすべて、最終的にはプラトンを学び、神（善・一）へと高まるという究極的な目標に向けられたものであった。

このように、プラトンを読むことは、知的修練であり、精神的な修練（徳の涵養）でもあった。中期プラトン主義のタウロス（二世紀頃）は、自分の読みたい対話篇だけを読もうとする同時代の人々や、「人生を豊かにするためというよりも、言葉や弁論を飾り立てるためにプラトンを読んでくれるようお願いする人すらいる」と嘆いたという（ゲッリウス『アッティカの夜』

第一巻九章一〇）。プラトンへの注釈は、たんに解釈の正しさを追求するアカデミックな営みではなく、その思想に基づいてよりよく生きることであった。

## 3　プラトン主義の基本思想

### †素材と形相

古代以来、西洋哲学は原因・原理を探究してきた。ものごとを知ることはそのものの原因・原理を知ることである。そうした原因の探究史でプラトン主義を特徴づけるのは、「イデア」と呼ばれる超越的な原理である。ただしそれだけではない。ローマ帝政期のストア派の哲学者セネカは、数が多すぎるとやや皮肉を込めてではあるが、プラトン主義が五つの原因を挙げていると報告している（『倫理書簡集』六五）。五つとは、素材（質料）因、作用因、形相因、目的因という、アリストテレス的な四原因に加えて、範型因である。たとえば銅像の青銅が素材因、製作者が作用因、青銅のうちにある形が形相因、製作者が参照したモデルが範型因、作り手の意図が目的因である。この範型因と呼ばれるものがイデアである。プラトン主義者によって原因の数は異なるが、この五つの原因に沿ってプラトン主義の基本思想を見てみよう。

まず事物がそれからなる「素材」は、それ自体いかなる性質も持たない。この素材について、中期プラトン主義のプルタルコス（四五頃～一二五頃）やアッティコス（二世紀頃）は形相が出たり入ったりして事物が生成消滅することの背後にある動的な原理と捉えたり、新プラトン主義者も含めて多くの論者が、何ものでもないもの、あるいは純粋な受容性と理解した。ヌメニオスやプロティノスはそれを悪としても捉えており、グノーシス派の影響も指摘されている。いずれにせよ、素材とは人間の認識に入ってこない何かであり、認識される事物の根底にあって、諸事物を安定してとどまらせることのない何かである。

事物はこの素材に形相が備わって成立する。この形相は伝統的に内在形相と呼ばれアリストテレス主義的なものとして通常理解される。このアリストテレス主義によれば、ある事物がそれであることを実現しているこの形相（その事物の本質）を、そのもとにある素材とともに捉えることで、その事物の知識が得られる。たとえば、人間には理性的働き、欲求、成長・発達などの活動がある。まずはそうした活動（形相）を経験的に捉え、人間の本質的機能を分析する。それとともに、現代の我々は、脳内のある葉の神経細胞がこれこれの状態にあることや、成長における細胞の動きといった素材面でも理解する。アリストテレス主義は、人間の本質理解を、このように人間のうちに経験的に見出すところから出発する。

プラトン主義者にとっても人間は素材と形相で説明されるが、それで終わりではない。人間を感覚によって見ても、その表面の性質・量、形、動きしか捉えることができない。人間と同じ性質（肌の色）や量、形、動きは、絵画の色、銅像の形、精巧なロボットの動き・表情など人間以外のものにも見出せる。絵画や銅像、ロボットから人間の本質を抽出できないように、感覚を通して人間の本質は理解されない。神経細胞に染色を施して電子顕微鏡で見ても、人間の活動を感覚的に捉えても、決して人間の本質にたどり着くことができない。ここにプラトン主義の素材と形相の理解の特徴があると言える。

### †イデア

ではどのように人間の知識に到達できるのだろうか。プラトン主義者は、人には人間のイデアが先天的に備わっていると考える。認識機能を担う魂は、身体とは独立した存在であり、身体が滅んでも生き延びる不死なるものである。その魂は、すでにこのイデアを何らかの仕方で認識しているため、魂のうちには潜在的に人間の本質の理解がある。その潜在的なものを、中期プラトン主義者たちは人類に備わる共通の観念のように捉えていた。また、新ピュタゴラス派とも呼ばれるプラトン主義者たちは、物体的なものを超越したイデアを、ピュタゴラスの原理である数と捉え、プラトンは書いていないがピュタゴラスからこうした教説を受け継いだのだと考えた。そうしたピュタゴラス・プラトン主義によれば、限定されていない「不定の二」

が「一」によって限定されることで数・イデアとなる。こうした思想は中期プラトン主義の多くに見られ、また新プラトン主義に取り込まれてゆく。

さて身体のうちにあって感覚器官を用いる魂にとって、イデアの認識は容易ではないかむしろ不可能である。それでも、魂は人間を感覚的に捉えその機能や特徴を内在形相として捉えるとき、人間のイデアを思い起こすことがある。この内在形相は人間の本質の理解を呼び覚ますような、イデアの似像や影である。こうした内在形相を通してイデアを思い起こすプロセスは「想起」と呼ばれるが、それ自体はイデアの認識ではない。イデアは、魂が身体から切り離され、純粋な状態で知性認識して初めて把握可能なのである。

他方でプロティノスは、人間の魂の一部は、いまもなおイデアと共にあり、それを認識しているのだとした。知性（イデア）にとどまる魂に、人は日常意識を向けることはないが、つねにその一部はイデアを観ているという。したがって、魂は感覚へと目を向けるべきではなく、自己自身の内部へと意識を向けるべきだとプロティノスは考えた。魂が身体から一時的に離脱するという自らの神秘体験も報告している。それに対して後期新プラトン主義者たちは、感覚認識を想起の過程の必要な段階として組み込むことで、アリストテレスの経験主義的認識論が、プラトンのイデア論的認識論と基本的には一致するという見解を取るようになる。その立場によれば、まずはアリストテレスの素材・形相論を通してこの自然的世界について学び、準備ができたものはプラトンの著作を読み、身体から浄化された魂の知性認識によってイデアを把握しなければならないという。

## †宇宙創造と善原因

イデアは超越しており世界に内在しないが、宇宙は何か規則的で調和のとれたものである。その構造はよくできており、自然法則と呼ばれるような規則性が宇宙にはある。なぜそうなったのだろうか。超越的な原理（イデア、神など）を認めない場合、宇宙は偶然いまのようになったとしか説明できない。それに対してプラトン主義者は、プラトン『ティマイオス』（二九A〜B）に基づきつつ、製作者（デーミウールゴス、神）が、イデアという範型をモデルにして、この世界が最善のものとなることを目的として作ったと主張する。

宇宙創造をめぐるこの著作はプラトン主義が最も多く言及し引用する対話篇である。とりわけ宇宙が「生成した」（二八B）とされる一節が議論の的となる。プラトン主義者にとって宇宙は魂を持った生きものである。したがって宇宙生成の問題は、宇宙の魂が創造されたかどうかにある。しかしプラトンは別の対話篇『パイドロス』で、魂は「生じることのないもの」（二四五D）と述べている。魂は何らかの始まりを持ったのか否かがプラトン主義内部での解釈上の争点となる。

まずは中期プラトン主義者たちの議論を紹介しよう。タウロスは「生成した」の意味を詳しく分析して解釈する。「生成した」は時間的な意味でも取れるが、別の仕方でも理解できる。たとえば宇宙は、イデアのように永遠不変の存在ではなく、生成し変化するものという意味で「生成した」とも言える。厳密に読むならば、魂が時間的に始まりを持ったという意味で生成したと言われているのではないとタウロスは主張する（断片二三）。他方で、実際に世界の創造が起こったと考えたのがプルタルコスである。彼の考える素材は世界以前にあった不安定な動である。それは非理知的で、いかなる限定もされていない魂である。したがって、このような魂は『パイドロス』が言うように生成を持たない。しかし、この魂が神によって秩序づけられて宇宙（宇宙の魂）が創造されたのであり、その意味で魂は「生成した」と言える。

新プラトン主義者プロティノスは、職人（デーミウールゴス）が「推理した」という『ティマイオス』の一節（三〇B）を問題視する。推理は人間的な思考・計算能力だからである。彼は、様々なことを考え巡らせて作り出すといった職人のイメージを捨て、イデアとそれを認識する神的な知性から世界が必然的に生じたと主張する（第三一論考〈V八〉第七章）。イデアを認識する知性は満ち足りており、そうした存在に「物惜しみする嫉妬心は少しも起こらない」（『ティマイオス』二九E）。輝く太陽から光が放たれるように、この世界は満ち足りたイデアの世界から溢れ出てきた。これは新プラトン主義の「発出論、流出論」と呼ばれる。発出は時間的始まりではなく、光源がなくなれば光もなくなるような因果的依存関係を述べたに過ぎない。イデアは永遠であり、この世界も常にイデアの世界に依存しそこから発出している存在だとプロティノスは考える。

神は世界を創造する作用因であるだけでない。神は善であり、宇宙を最善にするだけではなく永続的にする。調和や永続性を与える神の働きは摂理と呼ばれる。もちろん、神は感覚を通して個別的なことに考えを巡らせるのではなく、イデアを知性認識し、超越的な仕方でこの世界に配慮している。世界が調和を持ち永続的であること、いまあなたが身体（素材）と魂（形相）を持った存在として活動していることが、善なる神の摂理の働きである。そうした超越的な知の存在を肯定し神の善性を説明できることこそ、他の学派にはないプラトン哲学の優越性だとプロクロスは述べている（『プラトン神学』第一巻第一五章）。

こうした神の善性や超越性という考え方はキリスト教神学にも影響を与えた。ただしフィロポノスは『世界の永遠性について』で、世界には始まりも終わりもあるというキリスト教の教えに基づき、非時間的な宇宙の創造やその永遠性という考えを批判している。

## 4　プラトン主義を生きる

### †倫理——神に似ること

神が生み出したこの宇宙は、プラトン主義にとって魂を持った生きものであり、目に見える最善の神である（『ティマイオス』九二C）。この宇宙が実現している生き方こそ、人間が目指すべきあり方である。中期プラトン主義の多くがデーミウールゴスを善とするのに対して、新プラトン主義は、善のイデアを「存在の彼方」とし（プラトン『ポリテイア（国家）』五〇九B）、デーミウールゴスすら超越した原理とする。そうした違いはあるにせよ、すべてのプラトン主義者はこの宇宙の秩序を模倣することを倫理の根本とする。

宇宙という生きものはイデアを眺める神を模倣し、知性的に生きている。その宇宙のなかの植物や動物は非理性的なものであるが、それらは度を越すことなく、自らの自然本性に従って生きている。人間は宇宙の魂と同様に理性的だが、非理性的な欲求に身をまかせ、自らの理性的本性を捨てて生きてしまう。そうした欲求や情念を抑制し、理性が支配する生を実現すること、すなわち神のように生きることを目指さなければならない。プラトン『テアイテトス』

（一七六A〜B）から、この生き方は「神に似ること」と表現される。

神に似ることとは、新プラトン主義において階層的な教程として体系化される。自然的に持った性質・性格を養育によって導く段階がまずあり（自然的徳）、性格や欲求を正しい習慣づけによって形成する段階が続く（倫理的徳）。そして大人になって市民・政治的生活をする上で身につけるべき政治・市民的徳がある。さらに、身体を伴った活動から魂を浄化する段階（浄化的徳）、魂だけで知性的な活動をする段階（観想的徳）と続く。どの段階でも、知恵・節制・勇気・正義という、のちに「枢要徳」や「四元徳」と呼ばれる徳が核にある。

そして徳の階梯は、先にも述べたようにプラトンの著作の読み方とも関連していた。たとえば、『パイドン』で描かれるソクラテスは浄化的な段階にある。魂を身体から浄化することに励んでいた彼は、死刑を前にしても節度ある振る舞いをし、身体的苦痛も厭わない勇気を持って、正義や知を追求し、毒杯を飲んだ。また、自分だけが「本当の政治の仕事を行っている」と述べる『ゴルギアス』（五二一D）のソクラテスは、政治・市民的徳の理想像として読まれたであろう。こうした徳は階層的であり、上位の徳を持つ場合には下位の徳も必ず、それも優れた仕方で持つと考えられている。ソクラテスは必要に迫られて政治活動をする場合でも、市民的徳しか持っていない人よりもむしろ高次の浄化的な仕方で勇敢さや正義を発揮できたと新プラトン主義者は考えた。

## †宗教思想と「永遠の哲学」

この世界を超えた知があり、その獲得を目指す生き方は神に似ることだとするプラトン主義は、同様の思想を持つ世界の宗教と親和的だと言える。たしかに、ケルソス（二世紀頃）やポルフュリオスといったプラトン主義者はキリスト教やその聖書に対する論駁書を書いた。他方でヌメニオスは旧約聖書「出エジプト記」（第三章一四節）の「在りて在るもの」という神の言葉がプラトン主義の永遠的な第一原理と合致すると考え、「プラトンはアッティカ語を話すモーセ以外の何者でもない」とすら述べている（断片八）。

そのヌメニオスは、プラトン思想がピュタゴラスの思想と一致するだけでなく、インドのバラモン、ユダヤ人、ペルシアのマギ、エジプト人の儀式や教義にも一致するとして、それらにも依拠しなければならないと述べる（断片一）。プロクロスは、ガザのマルナス（ペリシテ人の神ダゴン）や、アラブ人の神、エジプト人のイシス神など、あらゆる神々を讃えたという。「哲学者はある一都市の神官でも、特定の人々の儀礼に則る神官であるべきでもなく、遍く宇宙全体の秘儀開示者たるべきだ」というのが彼の口癖であったとマリノスは伝えている（『プロクロスあるいは幸福について』第一九章）。このように、あらゆる宗教思想がプラトンの思想と一致・調和するものだと考える傾向は、同様にあらゆる思想・文化・宗教がキリスト教と一致するものだとした一五世紀イタリアの人文学者ステウコの表現を借り、「永遠の哲学」とも呼ばれる。

さらに、二世紀後半にはプラトン主義的な思想に基づいた宗教的著作が生まれる。パルミラ(シリア)のベル神殿の神官であったとも推測されるカルデア人ユリアノスと、その息子によって編まれた『カルデア神託』である。断片的に伝わるこの神託はプラトン主義的な体系に基づきつつ、神に似ることのための秘儀を伝えている。「神働術」と呼ばれるその技は、人間の魂を身体や情念から切り離して神のもとに高める神の働きを請う術である。シリア出身で地理的にも近かったヌメニオスやイアンブリコスには『カルデア神託』の影響が強く、それ以後のプラトン主義の流れを形作ることになる。この神託には、人はたんに哲学的な修練だけでは幸福に至れないという見方がある。そして、哲学的修練によって得られる観想的徳のさらに上に、神働術という宗教的な儀式をとおして得られる神働術的徳というものが措定されることになる。

プラトン哲学はもはや哲学ではなくなり、非理性的な――あるいは理性を超越した――宗教に成り果ててしまったのではないか。理性ではなく秘儀に頼り神の働きに身をまかせることは、哲学からの逸脱・堕落に過ぎないのではないか。そのような批判もあるだろう。しかし、プラトン主義者は盲目的に「永遠の哲学」の理想を掲げたのではない。また異なる宗教・文化・民族的な背景を持っていたプラトン主義者たちは、プラトンこそ真理だという共通の直観を持ちつつも、プラトン哲学のみならず諸宗教の一致について多様な解釈を展開したのだ。今日でも哲学の世界への広がりは、欧米基準の理性的な営みを盲目的に受け入れることではないだろう。日本であなたがプラトンを読むことには、特殊な意味がある。複雑な文化・宗教のなかで多様な展開を見せたプラトン主義の伝統は、グローバルな社会で哲学がどのようにあるべきか、一つの姿を示してくれるだろう。

## さらに詳しく知るための参考文献

アルビノス他『プラトン哲学入門』（中畑正志編、西洋古典叢書、京都大学学術出版会、二〇〇八年）……プラトン哲学がどのように読まれたのかを伝える、ディオゲネス・ラエルティオスや中期から新プラトン主義までの著作を翻訳したもの。中期プラトン主義のアルキノオス『プラトン哲学講義』やアプレイウス『プラトンとその教説』などが収められている。

田中美知太郎責任編集『プロティノス　ポルピュリオス　プロクロス』（世界の名著15、中央公論社、一九八〇年）……プロティノス『エネアデス』抄訳やポルフュリオス『エイサゴーゲー』、プロクロス『神学綱要』が収められている。古いので読みにくいところもあるかもしれないが、新プラトン主義思想に直接アプローチできる利点がある。田中美知太郎と水地宗明による「新プラトン主義の成立と展開」がよい導入になる。

内山勝利責任編集『帝国と賢者――地中海世界の叡知』（哲学の歴史2　古代2）、（中央公論新社、二〇〇七年）……「プラトン哲学・アリストテレス哲学の復興」では、前一世紀以降、中期プラトン主義とペリパトス派がその復興の背景も含め紹介されている。「プロティノスと新プラトン主義」も参照。巻末の詳しい参考文献が役に立つ。

水地宗明・山口義久・堀江聡編『新プラトン主義を学ぶ人のために』(世界思想社、二〇一四年)……新プラトン主義思想と中世・近世への影響史については本書がカバーしてくれる。インド哲学から日本の西田哲学、現代フランスのポストモダン思想に至るまで広い範囲に及ぶ「コラム」は、プラトン主義の世界的広がりを示してくれる。

## コラム2　ユリアヌスの「生きられた哲学」

中西恭子

ローマ皇帝ユリアヌス（三三一／二～三六三、副帝在位三五五～三六一、正帝在位三六一～三六三）の著作は、マルクス・アウレリウスに憧れた文人皇帝の生きられた哲学の記録である。

コンスタンティヌス一世の異母弟ユリウス・コンスタンティウスの三男ユリアヌスは、生後すぐに母を、コンスタンティヌス没後の帝室内粛清で父と長兄を失い、広大な精神の世界を心の故郷として宮廷の権謀術数のただなかを生きた。彼を監視し、ときに利用したコンスタンティヌスの嫡男コンスタンティウス二世も、彼の学問への意志をはばむことはできなかった。新プラトン主義を学ぶべく小アジア遍歴中の三五四年、ユリアヌスは皇妃エウセビアのとりなしによって一年の猶予を得てアテナイに学び、翌年副帝への指名を受けてゲルマニアとガリアの平定に赴いた。任地では人望篤く、三六〇年には軍隊から正帝推戴の歓呼を受けた。三六一年秋、ユリアヌス討伐へ向かう途上でコンスタンティウスは病没、ユリアヌスは同年一一月、単独帝としてコンスタンティノポリスに凱旋した。

キリスト教の外部にも、「神」と出会う場を肯定し、祈りと超越に貫かれた哲学を生きる人々がいる。そのことを学んだユリアヌスは、神働術者エフェソスのマクシモスら、ガリア赴任中も書簡を交わした師友を宮廷に招請して「古来の神々の宗教」の振興を志し、キリスト教の内部抗争には厳罰を与えた。それは儀礼と祈りを「神」と出会う人倫の向上の場として捉えるイアンブリコス『エジプト人の秘儀について』を着想源とする実践であると同時に、アレイオス派を厚遇してその他の諸宗教を排撃したコンスタンティウスの苛烈な宗教政策の鏡像である。三六二年七月から三六三年三月までのアンティオキア冬営の際には、当地を襲った飢饉への対応よりも祭祀の整備を優先して市民の不興を買った。

ユリアヌスは生き急ぐように著述に励んだ。イアンブリコス派新プラトン主義の思想を援用して帝国に遍在する太陽神・地母神崇敬と供犠を肯定し（『王なるヘリオスへの讃歌』『神々の母への讃歌』）、初代皇帝アウグストゥス以来のローマ皇帝の守護神選びを戯作に描き（『皇帝たち』）、アンティオキア市民に理解されぬ自らを笑い（『ひげぎらい』）、英雄叙事詩やプラトンの著作を聖典とする学芸を模索した（「神官宛書簡断片」）。断片で知られる『ガリラヤ人駁論』では、アレイオス論争期の未熟な聖書解釈や他宗教への排他性を指弾した。少年期に洗礼を受けた初のローマ皇帝が見た「地上の国の宗教」への率直な疑義である。

三六三年六月、ユリアヌスはペルシア境域における戦闘のさなかで戦死した。彼の著作は文人皇帝の思考と挫折を伝える書物としてビザンツ期にも継承され、文芸復興期以後は「異教」とキリスト教の葛藤を見つめる著作家たちが自らを映す鏡ともなった。

# 第9章　東方教父の伝統

土橋茂樹

## 1　教父以前

### †はじめに

古代ギリシアにおける「ポリス」というローカルな政治共同体から地中海世界全域におよぶローマ帝国へと舞台が広がることによって、政治や社会の仕組みはもちろんのこと、古代ギリシア発祥の哲学や各地域の倫理思想、さらには各民族に固有の伝統宗教にいたるまで大きな変革の波が押し寄せた。とりわけ世界宗教としてのキリスト教が成立するまでの過程には、プラトン、アリストテレスからヘレニズム期にいたる様々なギリシア哲学の系譜と、ユダヤ教に根ざすヘブライ主義の系譜とが交錯し融合していく壮大な世界史的ドラマが見出される。そこに登場したのが、古代キリスト教会の指導者であった「教父」たちである。本章では、そのうちの主に東ローマ帝国で活躍し、ギリシア・ヘレニズム文化に精通した「東方教父」（あるいは「ギリシア教父」とも呼ばれる）に注目してみたい。

## †超越根拠はいかにして世界内で働くのか

東方教父を語るとき、どうしても避けては通れない問いが「神とは何か」という神学的な問いだ。しかし、私たち日本人にとっては、「神」というよりもむしろ「神々」というほうが馴染みが深い。というのも、記紀神話に見られるように、天地の諸々の神々から鳥獣木草、海山にいたるまで、あらゆる尋常でない力をもつものが神格化されてきたからだが、私たちのそうした伝統的「神」観は、古代ギリシア神話の「神」観にとても似ている。いずれの神話においても、神々の世界は私たちの世界と至る所で交わり、連続的に繋がっている。

それに対して、ユダヤ教の一なる神の教えによれば、「神」は私たちの住むこの自然世界を超越し、あらゆる知恵と力を超えた全知全能の存在にして、見ることはもちろん、その「真に何であるか」も決して人間には知られ得ず語り得ない何者かとみなされる。そこでは神と私たちとは根本的に異なる存在であり、両者の間にはいかなる共通性も連続性も見出されず、もっぱら神の万物からの超越という関係があるのみである。面白いことに、このような「神」の捉え方は、古代ギリシアにおいて多神論的神観を批判した哲学者たちが理論的に導き出した万物の究極の原因・根拠、いわゆる「哲学者の神」と呼ばれるものと、その存在性格の点でとても近い。実際、ユダヤの創世神話は、彼らの説く一なる神がこの世界、この宇宙のすべてを創造した、つまり万物の根拠なのだと伝えている。

しかし、ここには重大な哲学的問題が潜んでいる。そもそも一なる超越神が、いかにして無数の要素を含んだ多なる世界の創造の根拠となり得たのか。この問題を、わかりやすく家を建てる例に喩えてみるなら、建築家が自分の頭の中でいくら理想の家のイメージを思い描いても、それだけではもちろん家は建たない。建築現場に行って、そこで実際に木材や石材を組み上げていって初めて家は完成するのだから。だとすれば、神が世界を創造する場合も、神はただ単に自分の頭の中で世界をイメージするだけでなく、世界創造の現場つまり物質的な領域に自ら降り立ち、そこで実際に働かねばならないのだろうか。しかし、もしそうだとすれば、その時神は、もはや世界から超越した存在とは言えないのではないか。

このディレンマに取り組んだのがユダヤ教徒フィロン（前二五頃〜後五〇頃）である。彼はエジプト・アレクサンドリアに居住し、ギリシア語を母語とする離散《ディアスポラ》ユダヤ教徒として、プラトン哲学に精通し、モーセ五書の寓意的解釈に大きく貢献した聖書注解者である。彼は、ユダヤ教の聖典（いわゆる旧約聖書）に収められた「創世記」に説かれている神による世界創造を、同じく宇宙創世について書かれたプラトンの対話篇『ティマイオス』の考え方を大胆に取り入れることによって注釈した。それが、永遠不変なイデアを眺めながら宇宙を造り出していく創造者（デーミウールゴス）というプラトンの構想であり、さらにそこから発想を得たフィロンによる「創世記」解釈、すなわち世界創造の際に超越神と世界を媒介するデーミウールゴスの位置に「神のロゴス」を置くという考え方である。では神のロゴスとは何か。その説明をするためには、まず旧約聖書のギリシア語翻訳の問題から説き起こす必要があるだろう。

### †『七十人訳聖書』の成立とユダヤ教のギリシア化

「旧約聖書」とは、あくまで新約聖書との関係でそう呼ばれるキリスト教における名称であって、本来はヘブライ語で書かれたユダヤ教の経典のことである。このヘブライの掟《トーラー》の書を当時の地中海世界の公用語といってもよいギリシア語へと翻訳したものが『七十人訳聖書（セプトゥアギンタ）』である。言い伝えでは、前三世紀にアレクサンドリア図書館初代館長デメトリオスの進言によって、エジプト王プトレマイオス二世がイスラエルの一二部族から六名ずつ、モーセ五書のヘブライ語原典とギリシア語に精通した長老格の学者計七二人にこの聖典翻訳という大事業を命じたとされる――その後何らかの数合わせによって長老の数が七〇人に改変され、「七十人訳」と呼ばれるようになった。実際は、おそらくギリシア語を母語とするヘブライ語を解さない離散《ディアスポラ》ユダヤ人やユダヤ教への改宗者が増えたことへの対応として、そのようなユダヤ経典翻訳の必要性が生じたものと考えられる。いずれにせよ、前三世紀から後一世紀までの長期にわたり継続されたユダヤ教聖典をまるごと全訳するというこの前例のない大事業は、後世に計り知れない影響をもたらした。

そもそもイエス自身が、自分が来たのは旧約における律法や預言を完成するためだ（マタイ福音書五：一七）と明言しているように、イエスの言行を旧約におけるメシア（救世主）到来の預言の実現として描き出す福音書をはじめ新約聖書の各文書にとって、旧約聖書は欠かすことのできない書物であった。そうである以上、旧約をギリシア語で引用できることは、ギリシア語で書かれた新約聖書の成立にとっても大きな意味をもつ。言い換えれば、新約聖書にとって欠かすことのできない『七十人訳聖書』を介して、ヘブライ主義に根ざしたキリスト教は既に根底からギリシア化の波に巻き込まれていたわけであり、そのことは、アレクサンドロス大王の東征に伴うギリシア文芸思想の地中海世界への伝播が、アレクサンドリアをはじめ各地へ離散したユダヤ人知識人によるギリシア文化との活発な交流をもたらし、やがてキリスト教の成立へと結実していく一つの現れとも言えるだろう。

こうした『七十人訳聖書』と並行するかたちで、旧約第二正典に属する「知恵の書」が前一世紀にアレクサンドリアのユダヤ人によって初めからギリシア語で書かれた。そこで説かれた「知恵」とは、「神の力の息吹であり、全能者の栄光の純粋な発出」であり、「永遠の光の輝きであり、神の働きを映す曇りのない鏡であり、神の善性の像である」。ここで「神の像（エイコーン）」とは、七十人訳「創世記」の「神は言った。我々は自分たちの像（エイコーン）と（それとの）類似にしたがって人間を作ろう、と」（一：二六〜七）という言葉に基づき、人間が神に似ることができるように神と人間の中間に置かれた範型・原型のことを指していると解釈できる。こうした神の像としての「知恵」がフィロンのロゴス概念に繋がり、さらに後で述べるアレクサンドリアのオリゲネスにおいて、それ自身に固有の実在性をもつものとしての「知恵」がキリスト教における神の子イエスの実在へと繋がっていくわけである。いずれにせよ、ギリシア化したユダヤ教徒の間で当時高まりつつあったこのような動向を主導する模範的位置にあったのがフィロンなのである。

## †フィロンにおける「神のロゴス」

フィロン思想において「神のロゴス」は非常に重要な概念であり、彼の思想を最もよく特徴づける神学的概念である。まず「ロゴス」というギリシア語は、言葉・言論、比率、理《ことわり》（法則）、理《ことわり》を理解する能力すなわち理性、を意味するギリシア哲学の基本術語であり、どの意味で語られているかは文脈に応じて判断せねばならない。その意味では、フィロンのロゴス説が、プラトン『ティマイオス』篇から強く影響を受けたものであるにもかかわらず、それ自体としては同対話篇の内に見出すことのできないユダヤ教的文脈で語られた彼固有の教説であることを忘れてはならない。

その教説によれば、建築家が心の内に思い描いた理想の家が、外界にはその場をもたず、その建築家の心の中でだけイメージされていたように、目に見えるこの現実世界のイデア的範型としての「可知的世界《コスモス・ノエートス》」(理想的な世界のイメージ)もまた、「諸々のイデアを秩序づけた神のロゴス」においてのみその場をもつとみなされる。この場合、確かに「神のロゴス」は、『ティマイオス』における「範型」と同一視されはするが、その意味するところはむしろ、世界創造の計画を案出するために統一・構造化された諸々のイデア全体を表している神の思考の働きそのものであり、しかも同時に、世界の創造過程において実際に働く神の「力」をも含意していると考えられる。とりわけ後者は、プラトンにとっての「デーミウールゴス」(実際に世界を創造する者)の概念と重なり、「神の創造の助力者・補助者としてのロゴス」という意味での「実体化されたロゴス」の観念の萌芽ともみなされ得る。

ここで「実体化されたロゴス」が何を意味しているのかは、具体的な例で説明したほうがわかりやすいだろう。フィロンは「創世記」冒頭部の「神は言った、『光あれ』と」という記述から、創造の第一日目に神によって発せられた最初の言葉(ロゴス)に注目する。ちょうど泉から湧出する川のように、神から言葉(ロゴス)が流出するとき、フィロンはそこに二種のロゴスがあると言う。

ロゴスのうち、一方は泉のようであり、他方はそこからの流れのようである。すなわち、思考におけるロゴスは泉のようであり、他方、口や舌から発せられた言葉は、そこからの流れのようである。(『アブラハムの移住』七二)

ここでもまた、「泉からの流れ」というメタファーを介して、「心の内にあるロゴス(理性的思考)」と「発話されたロゴス」というロゴスの二つの位相、すなわち神に内在し、神の思考と一致した(あるいは思考そのものとも言い得る)ロゴスと神から離存・独立した(発話された)言葉としてのロゴスが、そうした位相差を自らの内に抱え込みつつ、「ロゴスからロゴスへの発出・流出」という一つの連続した関係として捉えられている。

しかし、フィロンにおいて神から流出するのは、ロゴスだけではない。

神が真に一なる存在であるのに対して、神の最高にして第一の位に立つ力は二つある。それはすなわち善性と主権である。神は善性によって万物を生み出し、その生み出されたものを主権によって支配する。さらにこの両者の間にあってそれらを統合する第三のものがロゴス

である。なぜなら、神はロゴスによって支配者であり、かつ善なるものだからである。（『ケルビム』二七〜八）

つまり、真の存在である神から世界を創造する力である「善性」と、創造された世界を支配する「主権」という二つの力が「ロゴス」によって統合され神から流出すると言えるだろう。かくしてフィロンにおいて、悪と死を原因づける物質・身体性から成る物質世界と、そこから絶対的に離存・超越した善なる唯一神という対極的二項関係は、「ロゴスからロゴスへの流出」というイメージによって非連続の連続、不同一の同一という形で相対化され一体化され得たのである。

## 2　東方教父におけるキリストの神性をめぐる論争

### †パウロとユスティノスのロゴス＝キリスト論

「創世記」が世界創造の一環としての人間の創造において「神の像」を主題化したのに対し、新約聖書に多くの書簡を残した使徒パウロは、むしろ人間本性の内面的完成を強調することによって「神の像」についての考え方を変容させたと言える。では、一体それはいかなる意味によってなのだろうか。(擬)パウロによれば、神の子イエス・キリストは「不可視の神の像《エイコーン》」であり「すべての被造物に先立って生まれた」(コロサイの信徒への手紙一：一五)と言われる。既に見てきたように、「神の像」は、これまで「知恵の書」においては「知恵」、フィロンにおいては「ロゴス」とみなされてきたが、パウロにおいて遂に神の像は神の子イエスと同一視されるようになる。しかし、その結果、神の像としてのキリストの位置付けは、フィロンにおけるロゴスの位置付けとは決定的に異なるものとなった。

その理由はこうだ。フィロンにおいて、神の像としてのロゴスは、神とは異なるそれ自身固有の実在をもつものとして、人間にとって確かに範型の位置にあった。しかし、それはあくまで神による世界創造の補助者として、神と人間とを媒介するものに過ぎず、その限りで第一原理である神に対する創造《デーミウールゴス》者的原理として、あたかも船長に対する舵手のごとき従属的な位置に立つものであった。対してパウロにおいては、「神の像」である子キリストと原型である父なる神との対等性が強調されることとなる。つまり彼によれば、キリストは既にして「神の形をしており」、「神と等しくあること」(フィリピの信徒への手紙二：六)を得ているのである。その意味での対等性はまた、「ヨハネ福音書」においては「私を見た者は、父を見たのだ」(一四：九)というイエスの言葉によって端的に表されている。しかも決定的に重要なことは、そのように神と等しいキリストが、「自らを無化し、僕《しもべ》の形をとって人間と似たものになった」（フィリピの信徒への手紙二：七）、いわゆる神の「受肉」と言われる事態である。原型―似像関係で言い換えれば、人間がそれに似たものになろうとするまさに原型であるキリストが、せいぜい「神の像の像」に過ぎない人間に逆に「似たものになる」というのである。ここにはキリストの受肉による似像関係の劇的な逆転がある。なぜそのような逆転が必要であったのか、その意義については後で触れるが、ここではまずイエス・キリストの位置付けについて、二世紀に重要な貢献をなしたユスティノスを見ておきたい。

ユスティノス（一六五頃没、第3章も参照）は、ローマのクレメンス（一世紀末頃没）ら使徒教父の時代を経て、日々強まる迫害に耐えキリスト教信仰の擁護・弁証に努めた護教家たちを代表する教父である。晩年の地ローマに自ら開設したキリスト教学校で哲学を講じるも、マルクス・アウレリウス帝治世下、殉教を余儀なくされたことで知られる。彼の著作のうち、二つの『弁明』は主にギリシア多神論者からの様々な論難に対するキリスト教の弁証であるのに対して、『ユダヤ人トリュフォンとの対話』（以下『対話』と略記）では、ヘレニズム化したユダヤ教徒であり『七十人訳』旧約聖書にも通じたトリュフォンを相手にロゴス・キリスト論をめぐる対話体の議論が展開される。

ここでユスティノスのロゴス・キリスト論とは、フィロンのロゴス論はもちろん、さらに

「ヨハネ福音書」（一：一四）に「ロゴスは肉となり、我々人間のうちに住まった」と説かれたいわゆる「受肉のロゴス」説を何らか継承し発展させたものとみなされる。それは、一方で超越的な唯一の創造神を認める点で明らかにユダヤ教を継承しながら、他方でロゴスを「〔第二の〕別の神」と主張することによって、多神論の嫌疑を招き、ユダヤ教徒からの徹底した論難を引き起こさずにはおかなかった。したがって、『対話』においてそうした論難と真正面から向き合うことは、彼にとってキリスト教のアイデンティティ確立のためには避けて通れぬ試練だったと言えよう。

ユスティノスは、「創世記」第一八章の冒頭箇所で記述されるアブラハムの前に現れた三人の男たちについて、真ん中に位置する者を神の「御使い」にして「〔第二の〕別の神」と解釈する。これは、世界創造の神が常に直接アブラハムやモーセに話しかけていたと考えたフィロンはじめユダヤ人たちに対して、そこで話しかけていたのが「御使い」とも「使徒」とも呼ばれる「神の子」だったとみなすユスティノス独自の主張である。しかし、『弁明』において彼の言うように、「イエス・キリストが神の子であり」、「神のロゴス、神の初子であり、また神でもある」とするならば、しかもまた、世界創造主たる第一の神と、それとは「別の〔第二の〕神」が、いずれも真の意味で「神」と呼ばれるべきものであるとするならば、そこにはふたりの神が存することになり、もはや一なる神とは呼ばれ得ないのではないか。その限りで、ユスティノスにその点に関する挙証の責任が問われることは言うまでもない。

このように、神のロゴスを神の思考や言葉と捉えていたフィロンの場合と異なり、神のロゴスを神とは別の実在性、別の神格をもつイエス・キリストと同一視したユスティノスをはじめとする東方教父たちにとって、父なる神と子イエスが「二」神となるのか、それともあくまで一なる神なのか、という問い（いわゆる「キリスト論」）は喫緊《きつきん》の問題となっていったのである。

**†アレイオス論争**

アレクサンドリアでは、クレメンスを経て、三世紀前半にアンモニオス・サッカスの開いた私塾で学んだと伝えられるオリゲネス（一八五頃～二五四頃）が膨大な聖書注釈と後代に多大な影響を及ぼす神学を紡ぎ上げたが、彼の死後三〇〇年を経て異端宣告を受け著書が破棄されるという数奇な運命に見舞われることとなる。「教父」と呼ばれるための神学上の厳密な条件の一つに「正統性」が挙げられていることから、異端の烙印を押されたオリゲネスが教父とみなされない時代も長く続いたが、現在ではその偉大な功績から彼を教父とみなすことがごく一般的となっている。

彼の聖書解釈にどれほどプラトン主義が影響を及ぼしたかは、研究者間で意見の分かれるところであるが、旧約聖書からの影響はもちろんのこと、フィロンからも大きな影響を受けたものと思われる。とりわけ、旧約第二正典の一つである「知恵の書」からの影響は大きく、そこでの「全能者の栄光の純粋な発出」としての、また「永遠の光の輝き」としての「知恵」の記述は、パウロ書簡における子イエスの記述を解釈する際の要《かなめ》と言える。

そこでの「神の力の息吹」という発出（流出）のメタファーを手掛かりに、オリゲネスは四世紀を通じて論争を巻き起こすことになる鍵概念の一つ「ヒュポスタシス」を説き起こしている。彼はこの語を、①単に思惟においてだけの実在に対置されるものとして、しかも②「個的で限定された実在」として、「真の実在」を意味表示するために用いたと考えられる。彼は、「真の父（なる神）と真の子（キリスト）は、ヒュポスタシス（個別的実在）においては二つのものであるが、他方で同意と調和、さらに意志の同一性によって「一」でもある」（『ケルソス論駁』Ⅷ一二）と主張した。これによって、ユスティノスがロゴスの神格化によって示そうとしたことを明確に表示し得る存在論的な概念「ヒュポスタシス（個別的実在）」がキリスト論に導入されることとなった。

しかし、それは同時に、ユスティノスが直面した困難、すなわち数において異なる離存した二つのヒュポスタシスが一なる神であることの厳密な証明がオリゲネス以降の教父たちに課されるようになる幕開けでもあった。こうしたいわゆるキリスト論を端緒に、やがてキリスト教会全体を揺るがす「アレイオス（アリウス）論争」と呼ばれる神学論争が展開されることとなる（この論争については、本巻第3章も参照）。それは単にアレイオス一派の異端的主張をめぐる論争という以上に、むしろそれまで伏在していた神学的・教会政治的な様々な対立関係が顕在化し激化した複雑な出来事の連鎖というべきものである。しかしここでは紙幅の都合上、ごく図式的な概略説明にとどまらざるを得ない。

事の発端は、オリゲネスによって確立されたアレクサンドリア神学を継承した当地の主教アレクサンドロスが、オリゲネス伝来のいわゆる「子キリストの永遠の誕生」という教説を唱え、アレイオス（ラテン語名ではアリウス）がそれに真っ向から異を唱えたところにある。アレイオスの主張はこうだ。もし父なる神が、子イエスを生んだのならば、生まれた者はその実在の始まりをもつことになる。そうすると、子イエスが存在しなかった時があったことは明らかである。したがって必然的な帰結は、子イエスが無からの実在（ヒュポスタシス）をもつということになる。子イエスは父なる神と同じく永遠である、というオリゲネス以来の教説が拒否されたわけだが、アレイオスの論点はあくまで、無始原なのは父なる神のみであって、子はたとえ時間的な意味ではないにしても始原をもち、その限りで無から生じた、というところにあった。したがってそこからの論理的な帰結として、父なる神は必然的に子イエスより優れた位階にあり、子が父から出たのは、父なる神の本質（ウーシアー）からでなく、父の純粋な意志による行為からである、という教説（子イエスの父なる神に対するいわゆる「従属説」）が提示されるに至る。

この段階に至って、初めて、子イエスは父なる神の本質（ウーシアー）をもたず、父なる神と「同一の本質（ホモウーシオス）」ではない、という命題が登場するようになったのである。いずれにせよ、あくまで父なる神の子キリストに対する優位性を主張し、「我々が認めるのは、唯一不生にして唯一無始原なるところの一なる神である」というように不生性、無始原性をその論拠にしていたアレイオス及びその支持者たちであったが、ニカイア公会議（三二五年）直前には、ウーシアーおよびホモウーシオスという概念が両者の主張の不一致点として大きくクローズアップされるまでに論争点はシフトしていったようである。その事実は、アレイオス派の異端説を告発すべく開かれたニカイア公会議において作成されたニカイア信条に明らかである。

## †ニカイア信条

ここでいう信条とは信仰の規範のようなものだが、まずはそれから見ていくことにしよう。少し長くなるが、カイサレイアの主教バシレイオス（三三〇頃～三七九）の書簡一二五に再録された信条のうち最後のアナテマ（破門宣告）部分を除いた全文を以下に引用する。

私たちは一なる神、全能の父、見えるものと見えないもののすべてを創造したものを信じる。また、私たちは一なる主イエス・キリスト、神の子、父から生まれた独り子、すなわち父のウーシアー（本質）から生まれたものを信じる。神からの神、光からの光、真の神からの真の神、生まれたものであって造られたものではない、父とホモウーシオス（同一本質）であるその方を。天と地にあるすべてのものはその方によって成った。主は、私たち人間のために、また私たちの救いのために降り、肉となり、人間となり、苦しみを受け、三日目によみがえり、天に昇り、生者と死者とを裁くために再び来るのである。
私たちはまた、聖霊を信じる。

ニカイア公会議以降、この信条中の傍点部分を敷衍した「父なる神の実在（ヒュポスタシス）と子イエスの実在が本質存在（ウーシアー）において同一である」という「同一本質」の意味に収斂した哲学・神学的命題をいかに解釈するか、さらにはこの信条で信仰の対象として掲げられていた父、子、聖霊の三つの実在（いわゆる位格）が、どのようにして三つではなく一つの神とみなされ得るのか、そうしたいわゆる「三位一体の神」の在り方を説き明かすことが東方教父たちにとって極めて大きな問題となっていった。

そこでの論争の構図は、①父なる神と子イエスの実在も本質存在も同一とみなし、三位格はその様態のみによって区別されるというサベリオス主義（様態主義）を一方の極とし、それに対して、②各位格の実在は異なるがそれらの本質存在は同一ではなくただ相似しているのみとみなす「相似本質派（ホモイ・ウーシアン）」がもう一方の側を占め、③そのなかでも徹底した従属主義を唱え、父なる神と子イエスは似てはいるけれども本質存在においてはむしろ非相似（アノモイオス）だと強力に主張する「非相似派」がその最右翼に立つかたちになる。三位一体論の教義確立期にあたる四世紀カッパドキアにあって、こうした論争の只中でひたすら「三位格（三つのヒュポスタシス）が一なる本質存在（ウーシアー）であること」の意味に取り組んだのがカッパドキア教父である。

## 3 「神に似ること」と「神化」

### †カッパドキア教父における力動的ウーシアー論

東方ギリシア語圏のカッパドキア（現トルコ領の世界遺産の奇岩群で有名な小アジア東部地方）で活躍した教父たちは、ギリシアの修辞学や哲学の豊かな教養を三位一体論争において縦横に駆使することによって、枢要な哲学概念にも新たな命を吹き込んでいった。なかでもカイサレイアのバシレイオスとニュッサのグレゴリオス（三三五〜三九四）の兄弟が東方教父の伝統に及ぼした影響は計り知れない。まず兄のバシレイオスから見ていこう。

当初、非相似派の論客エウノミオスとの論争においては、確かにバシレイオスは限りなく相似本質派に近づきつつあったが、辛うじて親ニカイア派にとどまったように思われる。しかしその後、聖霊の神性を否定する者たちを論駁するために書かれた『聖霊論』において、プロティノスからの影響のもと、聖霊を「全体として遍く現在する生命付与の非実体的な力」と解することで、「ホモウーシオス」という概念に伏在していたアリストテレス的な個体・実体性および本質・実体性の含意を払拭し、三位格を関係づける神的な「力（デュナミス）」や「働き（エネルゲイア）」にこそ神の本質存在《ウーシアー》を見出すべきだとする力動的なウーシアー観に至ったものと解釈され得る。それはこういうことだ。それぞれが個別的実在（ヒュポスタシス）である三位格が一つの個体としての実体（ウーシアー）だと主張すると、三つのものが一つだということになり明らかに論理矛盾になる。しかし、それらはあくまで「神」という一なる普遍概念としての本質・実体（ウーシアー）によって一とみなされるに過ぎないとすれば、実在するのはあくまで「三神」であって「一神」ではあり得ない。しかし実際はそれらのいずれでもなく、むしろ父なる神から発して独り子イエスを経て聖霊に至る一貫した同一の崇高で神的な力の働きこそが、三位格を統一する本質存在（ウーシアー）である。これがバシレイオスの最終的な主張だと思われる。

　グレゴリオスもまた兄バシレイオスの力動的なウーシアー観を継承し発展させたが、そこに新たに組み込まれていったのが彼固有の自由意志論である。確かに三位格は互いに異なるけれども、そのことによって神に複数の意志が存するわけではない。なぜなら、神が善の充溢であり、徳と知恵の原理である限り、人間の魂に見出される自己分裂は神性にはあり得ないからである。かくして、神の一なる自由意志は、神的本性に内在する力(デュナミス)として三位格における多様な働き(エネルゲイア)を原因づけ、そのことによって三位格を統一する力動的根拠となり得るのである。このようにしてグレゴリオスは、兄バシレイオスの後を承けて、神的本性の一性へと文字通り全身全霊をかけて漸近する試みの中で、静態的(実体的)なウーシアー観から力・働きという力動的なウーシアー観へと思索を深めていったのである。

## †まとめと展望

本章の主題は、すべての存在と善の超越根拠である一なる神がいかにして多なる世界内で働くか、というものであった。その難問に対して、ユダヤ教徒フィロンは、神と世界の間にプラトンから借用した創造者《デーミウールゴス》的原理として神のロゴスを介在させ、さらに初期東方教父たちはそれをロゴス・キリストとして神格化することによって、超越根拠の世界内での活動を説明づけようと試みた。しかし、超越神と世界を仲介するロゴス・キリストは果たして神であるのか。もし神であるなら、神の超越性と一性はどのようにして説明できるのか。こうしたディレンマは、キリスト論から三位一体論をめぐる大論争を引き起こさずにはおかなかった。

いずれにせよ我々の主題との関わりから見る限り、三位一体論とは、一なる超越根拠（神）が世界内においてその働きを実現するために、超越根拠自らが三一神――三つの個別的実在《ヒュポスタシス》にして一なる本質存在《ウーシアー》としての神――という構造をとったものと解釈できる。あくまで超越根拠として自らに留まる父なる神に対して、子イエスが「受肉」――自らが物質・身体性を纏うこと――によって、さらには聖霊が世界内に生命を付与することによって、神は超越する一なる根拠でありながら、その力をこの世界内で発現させることができる、そうカッパドキアの教父たちは考えたに違いない。とりわけニュッサのグレゴリオスはイエス・キリストの受肉の意義を、自らが神と等しくあることを善いこととみなさず、自己を無化し、自ら進んでもっとも貧しいものとなり人間の僕《しもべ》となったイエスの姿に見出した。この考えがやがて「キリストに倣え」という教えに繋がるものである。

プラトン以来、人間本性の完成は「神に似ること」つまり身体や身体に根ざす欲望や情念から解放され、神へと超越することとみなされてきたが、そのギリシア的伝統は東方教父にも確かに継承された。それどころか、プロティノスによる「一者との合一」という理念を得ることによって、あたかもイエス・キリストが神性と人性の絶対的な異なりを超え来って「受肉」し、さらに十字架の死後再び神性へと超越し「復活」したように、人間もまた「神との合一」に向けて超越し得るという「神化」(テオーシス)の思想が東方教父に固有の特徴となっていった。つまり、「神に似ること」という古代ギリシアのプラトン主義的理念は、古代末期以降の東方教父の伝統として、「神化」への上昇・超越の途と、「キリストに倣うこと」によるこの世界内での善なる活動の途の両方向へと定位されたと言える。東方の教父たちは、神の三一性が証示される限り、何らかの形でその二つの途が人間にとって可能な二つの救済の途になると考えたに違いない。

### さらに詳しく知るための参考文献

C・スティッド『古代キリスト教と哲学』(関川泰寛・田中従子訳、教文館、二〇一五年)……哲学と初期キリスト教思想の間での相互影響史的な交流とその展開に関する概説書。キリスト教神学における哲学の貢献を主題別に考察した第二部は本章をよりよく理解するために有益。

土橋茂樹『教父と哲学――ギリシア教父哲学論集』(知泉書館、二〇一九年)……本章で扱われた三位一体論争をはじめ東方教父哲学関係の主要テーマをギリシア哲学と東方教父思想の両面から詳細に考察した論文集。より深く理解したい人向けだがやや専門的。

土橋茂樹編『善美なる神への愛の諸相――『フィロカリア』論考集』(教友社、二〇一六年)……三〜一五世紀の東方キリスト教圏の修道師父たちの言葉をまとめた詞花集『フィロカリア』をテーマにした論考集。素朴な言葉の裏に秘められた修道者の深い思索に触れることができる。

田島照久・阿部善彦編『テオーシス――東方・西方教会における人間神化思想の伝統』(教友社、二〇一八年）……本章で扱われた「神化（テオーシス）」をめぐって、古代から近代までの東方・西方両教会の思想家たちが伝えてきたキリスト教思想の真髄を通史的かつ体系的に纏めた論文集。「神化」思想をもっと広く深く知りたい人向け。

土岐健治『七十人訳聖書入門』（教文館、二〇一五年）……本章で扱われた七十人訳聖書の成立過程を史料に基づいて解説し、ヘブライ語聖書との比較などを通じて同書のもつ特徴を明らかにしていく高度な入門書。ユダヤ経典翻訳という大事業の文化的背景を知るためには必読。

第10章 ラテン教父とアウグスティヌス

出村和彦

## 1 はじめに——アウグスティヌスの神の探求

### ✝ラテン教父の特徴

善悪と超越の問題に関して、ラテン教父たちはどの様な特徴的な取り組みを行っているのだろうか。新約聖書はヘレニズムの共通語であるギリシア語で書かれており、キリスト教はローマ帝国のヘレニズム都市を中心に広がっていった。西方へ広がる中でも、当初はギリシア語東方での論争状況がキリスト教神学を主導していた。ギリシア語の東方とラテン語の西方との交流には翻訳が重要な役割を果たしていた。ヒエロニュムス（三四七頃～四二〇）による聖書のラテン語訳（ヴルガータ）の成立と流布はその後の西方ラテンキリスト教の自立にとって決定的であった。

ラテン語とその文化の特徴が強烈に現れてくるのはローマ帝国属州の北アフリカである。例えば、テルトゥリアヌス（一六〇頃〜二二〇頃）は、「アテナイとエルサレムは一体どんな関係があるのか」とキリスト教信仰の独自性を主張し、カルタゴの司教キュプリアヌス（二一〇頃〜二五八）はキリスト教殉教者としてアフリカの信仰の灯火となった。「殉教者の血で彩られている」というアフリカの教会の自己意識はあくまでもピュアな教会を目指すドナティストの分派を生んだとも言える。

### †古典とキリスト教を架橋するアウグスティヌス

イタリアとシチリアそして北アフリカは一つの海を囲む一体の文化圏であった。アウグスティヌス（三五四〜四三〇）が活動したのはまさにここである。北アフリカ生まれの彼は、古典文学を学ぶとともに、これを信仰するキリスト教に架橋し、自分の言葉ラテン語で、心底、腑に落ちるところで理解して、人々と分かち合うことを生涯の課題としていた。「理解するために信じ、信じるために理解する」という信仰と知の関わりがアウグスティヌスの哲学を形成し、西欧思想の新たな源泉となったのである。本章では、アウグスティヌスを中心に、西欧の礎となったラテンキリスト教思想の特徴を示していきたい。

## †神と自己を探求するアウグスティヌス

彼は、『三位一体』でこう読者に呼びかけている。

この書物を読む人で、私と同じように確かならば、私と一緒に歩みましょう。私と同じように不確かであるならば、私と一緒に探求しましょう。もし、自分の誤りを認めるならばどうか私のところに立ち戻って欲しい。また、もし、私の誤りを見いだすならば、どうか私を呼び戻して欲しい。こうして、私たちは「常に御顔を求めよ」と語られているあの方〔神〕に向かって手を差し伸べて愛の道を共に歩みましょう。（『三位一体論』一・三・五）

彼自身はラテン語の翻訳等を通じてギリシア教父やプラトン主義（プロティノスやポルフュリオスら）を学びつつ、キケロなどのラテン語圏での哲学を基礎に、真理であり知恵である神を探求し続けていったのである。その際に、彼は「確かに、私の心に耳を付けて聞くことは誰もできない。しかし、私がいかなる者であるにせよ、まさにその『心』において私は私なのである」（『告白録』一〇・三・四）というように、私の「心」という自己の内面性をはっきりと自覚している。「自己」を深く見つめながら、この世界に生きる「私」に定位しつつ、この私を超越する神を探求した点が画期的である。それはどのように遂行されたのであろうか。

## 2 内的超越

### †外・内・上

彼はその真の神探求の出発点を現実の「私」、人間としての「自己」に据える。

外に向かうな、あなた自身の内に戻れ、真理は内的な人間に住んでいる。そしてあなた自身が可変的な本性を持ったものであることを見出すならば、そのあなた自身を超えよ。(『真の宗教』三九・七二)

ここに、アウグスティヌスの人間についての考察の特徴がよく現れている。それは外から内への転向と、この内において自己自身を超えた存在のリアリティーを見出す道である。自己へと立ち返り、神へと超越する「外から内へ・内から上へ」という道を「内的超越」と特徴付けることができよう。

そのような「内的超越」は、『告白録』では、自身に、「お前は何者だ」と自問し、「人間だ」、「では、人間とは何か」というように反省する中で、「身体と魂が私の内にあって私の内に現前している」ことを確認することから始まる。その上で、「一方は外側、もう一方は内側に。そのどちらかに私の神を訪ね求めなければならないのだろうか」(一〇・六・九)と自問していることが着目される。

ここで重要なのは、外と内は密接に連関した一つの人間の動態であって、身体と魂を分断することなく、一体化した人間であることが今この私の生きる場所であることである。心身一体の人間を見出すことで、アウグスティヌスは、魂と身体を分離し、魂・知性それ自体による「超越」を目指すギリシア哲学・東方キリスト教教父の心身二元論的志向と一線を画す。そして、この人間において、これを超える神を見出す場所は、「私の最も内なるところよりももっと内に、私の最も高きところよりももっと高きところ」(三・六・一一)であった。

### †「心」と自己の深淵からの超越

神は人間の「自己」の中心である「心」――「心臓」を意味するラテン語で表現される――という「最も奥深いところ」で見出されるのであるが、神自身はそんな内面に取り込まれる存在ではなく、それを遥かに超えている。なぜならば、神は自然万物を創造した唯一の創造神であり、人間は被造物のひとつだからである。人間本性はあくまでも可変的な制約を持つ。もし自己の中心である「心」を見失って、あれこれの外的な想念に気を取られて、いわば、心がそこからさまよい出て自己が分散してしまっていると、当然のことながらそれを超越した神を見出すことはできない。「道を踏み外した者たちよ、心に立ち返れ」(イザヤ書四六・八)というように、自己は自己の「私のもっとも深いところ」につなぎ止められ、そこからこそ超越した神を見出すものである、というのがアウグスティヌスの強調する「外に向かうな、あなたの自己の内に戻れ。そしてあなた自身を超えよ」というモーメントの真意である。

## †真の宗教・三位一体と哲学

「神」とか「宗教」という事柄は、何か理性的な営みである「哲学」とは相容れないように思いがちである。しかし、ローマ帝国古代末期は、「不安の時代」とも位置づけられている。伝統的ギリシア・ローマの多神教国家祭儀は継続していたものの、キリスト教が帝国全土に勢力を拡大し、修道制禁欲運動も東西のキリスト教で盛んになっていた。またグノーシス主義諸派が各地に起こったのもこの時期である。いずれの宗派も「真理」を得ることやそれに基づく「至福」を志向していた。本当の幸福・至福を願って実践する古代の哲学者たちの「生き方としての哲学」にとっても、宗教が常に何らかの形で関わっていた。

アウグスティヌスは、一九歳のときにキケロの『ホルテンシウス』を読んで「知恵への愛（哲学）」に心燃え上がった。その向かう先は「あなた」と呼びかけられる神そのものであった。その後キリスト者になった彼にとって、内的に超越する唯一の神は、彼が受けいれる「真の宗教」によって結び付けられるものであった。彼は、「宗教」という呼称を定義して、「唯一の神に向かい、私たちの魂をこの唯一なる神に結びつける（レリガーレ）ことから宗教（レリギオ）と呼ぶのだ」（『真の宗教』五五・一一一）としている。

その際、唯一の神とは、すべてのものの唯一の源泉、知恵ある魂がそれによって知恵ある者となるところの唯一の知恵、また私たちが浄福な者となるところの賜物であるとされる。これらは、父なる神、子なる神、聖霊なる神という三位一体の神に対応する。

神（ないし超越した存在）を「知恵」とする伝統は、ユダヤ教での知恵文学やインド由来の仏教での「般若」というように広く行われ、また源泉からの「光（無量光）」とか人間が賜る「慈愛（大悲）」というような捉え方も洋の東西を問わない。

正統キリスト教の立場では、この唯一の神が、父子聖霊三つで一体の三位一体の神に他ならないのである。ラテン教父では、テルトゥリアヌスが三位一体という言い方を始め、ポワティエのヒラリウス（三一五頃～三六七頃）は父と子の一体同質を巡って、アリウス派との調停を模索する論考をラテン語で著し東方での教会会議に関与した。アウグスティヌスは、教父たちの伝統を踏まえつつも、さらに独自の哲学的探求をしている。神は超越した唯一の創り主であり、しかも源泉・知恵・賜物というそれぞれ独自の働きかけを持つ三一神として信仰される。しかし同時に、その三一性と類似した働きが、神の似像として造られた人間の精神の内部構造に反映されているので、これを内的に見つめることを通じて、そこに朧気《おぼろげ》ながら映し出された超越した神の痕跡を辿ることによって、超越している神を理解する試みがなされるのである。

## †自己の内なる三位一体

アウグスティヌスは、内的な人間としての「私（自己）の精神」を見つめ「私たちは存在し、私たちの存在を知り、そのように存在し知っていることを愛する」ということに着目する。そして、「存在（生きていること）・知識・愛」とか、「記憶・直知・意志」というような可変的でありながら三つで一つの不可分の精神の働きとしての自己のあり方は、実はこの永遠の三位一体を映す似像であることを見出す。外から内へという集中とその逆の内から外への分散という思考の土台には、「私は欺かれるにしても私は存在する」というように今ここにという時間的世界に生きて存在し、そのことを理解し、さらに生きて理解することを愛し求める人間としての私自身が基底的に存在する。

しかしその私の精神のあり方は、あくまでもそこに朧気に映し出された神の痕跡に過ぎない。

これを辿ることによって理解する試みがなされるのであるが、それゆえにますます、神はその自己を内的に超越した創造主として存在する源泉・知恵そのもの・至福の与え主としての唯一の永遠の存在なのである。アウグスティヌスは、このような唯一の善なる神を愛し求める探求としての哲学こそが、真理や認識や至福を求める人間の心からの願いであるとした。それというのも、被造物である人間はその魂も身体も神によって造られた善いものであると信じられ理解されるからである。

しかし、このような人間観に真っ向から対立していたのが、神的存在を直接的に「覚知」することによる救済を説くグノーシス主義であった。そのひとつが、善悪二元論を原理とするマニ教である。アウグスティヌスは前半生（一九歳から三〇歳頃まで）これに関与し、これからの脱去の経験が彼のキリスト教理解を形成していた。

## 3　善悪二元論と自由意志

### †マニ教の善悪二元論

マニ教は、バビロニア出身の教祖マーニーによって始められた創唱宗教である（本書第7章参照）。ローマ帝国では非合法、しかし周辺的な存在として世界的広がりを持ち、ローマ帝国のイタリアや北アフリカ、シルクロードの諸民族、そしてその後、仏教の意匠に隠れながらトルファンや中国福建にも伝わっていった。その教えはグノーシス主義的な善悪二元論を骨格として、神話表象によってまとめ上げられて、「グノーシス主義救済神話の完成品」とも位置づけられている。若きアウグスティヌスにとってはマニ教が「真のキリスト教」として立ち現れた点で深刻であった。アウグスティヌスにおけるキリスト教とマニ教の遭遇と相克は、それ自身、四世紀後半での世界哲学史的出来事である。

マニ教は、旧約聖書を否定し、そこに表される創造神は悪の創造主であり、新約聖書に見られる光はそれとは出自を全く異にする善に由来する存在とされる。聖書の光と闇のイメージやパウロの霊肉の対立をマニ教は善悪二元論的に解釈し、彼ら独自の神話を構想していた。それに基づいて、悪しき原理によって創造されたこの世界万物に対して、本来の自己こそが悪しき世界に敵対的に隔絶した全き善の断片部分として保たれている。善の原理は周辺世界に閉じ込められているものの、この善に直接連なる者として禁欲的な宗務規定を全うする聖職者を核にして、彼らを支援する在家信徒集団からなる教団が形成されていたのである。

彼らの神話は様々な出土文書から知られる。北アフリカやローマでマニ教に接していたアウグスティヌスのマニ教論駁文書も彼らの教義を知る手がかりとなっている。

マニ教徒は二種類の魂があると言っている。一つは善であり……もう一つは悪であり……彼らは、前者は至善であり、後者は至悪であり、これら二種類はかつては分離していたが今は混合していると語っている。この混合の種類と原因については私はまだ聞いたことがない。（『二つの魂』一二・一六）

このような善と悪をそれぞれ独立した実体と捉える善悪二元論と、万物の源泉である創造主である神は存在に満ち満ちた善そのものであり、その神によって造られて存在する被造物は、存在する限りすべて善いものであるというキリスト教の善一元論とは全く相容れない。では、どのようにして、善である神と世界万物に悪が存立するのか。悪とは何か、悪の原因は何なのか。

**✝悪は善の欠如**

キリスト教非キリスト教問わず、悪そのものが実体として存在し、世界は必然的に悪いものであるとするグノーシス主義的善悪二元論のペシミズムは、ヘレニズム哲学宗教思想の中で反駁の対象になっていた。万物が創造されたものであるか否かはとにかくとして、何かあるものとして存在するもの、その形相（何であるか）を有する存在者は自然的に善いものであるという存在理解が古典からヘレニズム哲学において一般的な了解であった。新プラトン主義のプロティノスは、『「より善いもの」は「より悪いもの」よりも先にあって、形相なのであるが、「より悪いもの」は形相ではなく、むしろ形相の欠如である』（『エンネアデス』一・八・一）と言っている。

悪は形相の欠如である。すなわち、形が有ればこそ、その損ないとしての悪があり、光があればこそ、その影があるのであって、影である悪そのものが（光なしに）それだけで存在することは有り得ないという考えを以て二元論と対峙する。アウグスティヌスもそれを受け入れて、「そこで、悪はどこから由来するかを問題にする場合には、まず悪とは何かが問われるべきであるが、悪とは、自然本性的な限度や形象や秩序の壊廃以外の何ものでもない」（『善の本性』四）というようにマニ教を論駁している。

### †二元論の無責任・美の危険性

ところで、善と悪を対立した実体として捉え、これらが世界万物を直接的に支配し、この世界はそれぞれが対立抗争を繰り返す舞台であるとすると、その舞台上での人間は何をなすにしてもそれら実体に手繰られる操り人形になってしまう。「悪をするのは悪によってだ」というのは説明になっているようで、実は自分ではない何者かが自分を悪くさせているという言い訳でしかない。

世界を総体として肯定しがたい社会的周縁領域に置かれる立場の者たちにとって、世界をそれ自体で悪い「闇」として敵対的に否定し警戒することは、自分たちだけは他からは窺い知れない「光」そのものに属する善なる集団であることを閉鎖的、脱世間的に確立するに効果的である。マニ教が教団として文化的背景を異にする地域で形を変えつつもその教義を存続し得た世界宗教であった秘密はここにあった。アウグスティヌスもキリスト教に回心する以前、マニ教徒のネットワークに助けられたこともあった。

しかし、若き日のアウグスティヌスがマニ教を「真のキリスト教」として受け入れた理由は、そのような世間に敵対することではなく、本来的自己の覚知を与えられて安心できたことによるのでもなかった。マニ教時代の彼において、「自己」は自分にとって解決のつかない「大きな問い」そのものであった。

むしろ、アウグスティヌスは、マニ教徒時代に夢中になって、美の研究に専念した。美こそは、邪悪で醜悪な周囲のこの世から隔絶して、それ自身燦然と輝く善そのものの部分として世界に現前するのではないかという至福の期待を満たすものだったからである。美は真理として善の実体に直結し、その限りでは、あくまでも損なわれ得ない形相そのもの、それらの連合においては適合性を保ち続ける。これに没入することで、自己の現実から超出して美の世界へ帰依するという唯美主義の危険性があった。

### †悪はどこから――自由意志をめぐって

しかし、自分の栄達のために信実の伴侶と離別し、しかも自らは不信実な関係に走ったりというような、心が外へとさまよい出て心が引き裂かれる経験が、決して自分自身とは無関係とは言えない形で身につまされてくる。美に帰依したという独善的な言い訳は成り立たず、また、善悪の実体が背後に控えて人間はその操り人形となってしまうことでは説明がつかない。まさに自己の意志の存在に気づかせる。それゆえに責任というものも生じ、自ら為した過ちに対する正当な罰というものも考えられるのである。アウグスティヌスはわれとわが身を振り返りその不義に慄くようになるのであった。

ここからの内面への立ち返りこそが、彼の「内的超越」を肉付けするものである。それは新約聖書のパウロ書簡を自分の経験に引き比べて「心」のうちに内的に読み取っていく「理解」の道が導きになって遂行された。

アウグスティヌスは「意志」というものの存在、意志という概念の発見者（発明者）と言われる。それは以上のような「自己」の発見、「心」への立ち返りによって見えてきた人間の要素である。このことはまた、「悪は善の欠如である」という哲学的構図を人間論的に受容するものともなった。アウグスティヌスは、「神が善である以上、神が悪をなすということはない……悪人の誰しもが自分の悪しき行いの創始者なのである。しかも、悪しき行いは神の正義によって罰せられる」(『自由意志』一・一・一)と答え、人間の悪が自由意志の選択から由来することを主張して、マニ教との対決を鮮明にしている。

しかしそのような悪をなす人間の自由な意志の選択に責任が伴うことの考察はアウグスティヌスが初めてではなかった。

## †アンブロシウスとローマのストア派

ミラノで正統キリスト教を擁護するために奮闘していた司教アンブロシウス(三三九〜三九七)は、キケロの義務論を咀嚼し、ローマ市民としての賢慮、勇気、節制、正義という四つの徳をキリスト教でも枢要徳として規定したことでも重要である。アウグスティヌスはこのアンブロシウスから「自分たちの悪をなす原因は意志の自由決定であり、悪をこうむる原因はあなたの正しい審判である」と聞いて、その意味を理解しようと努めたが、原因を明瞭に理解することができなかったというように後年述懐している。

アンブロシウスは、「神が邪悪を創造したわけではない。確かに悪は実在するものではなく、自然の善性から逸脱した単なる偶有的な存在に過ぎないからである」(『エクサエメロン』一・八・二八)と哲学的に指摘する。そして、聴衆に向かって、

まさに君自身が君にとって誤謬の原因なのであり、君自身が君の恥ずべき仕業の先導であり、悪事を唆す者なのだ。それなのに、なぜ君は自分以外の自然を呼びつけて、自分の過ちの言い訳にしようとするのか。(『エクサメロン』一・八・三一)

と、言い訳するような態度を叱責していた。彼によれば、情欲を抑えることは「自分次第」である。だが反対に、贅沢な生活に耽り、肉欲を掻き立てたり、謙遜の内に自足する穏和を好まずに、傲り高ぶりのぼせ上がり、激情にながされてしまうことも「自分次第」である、とされるのである。

これらのアンブロシウスの言説に見られる「自分次第」という限りでの「意志」の規定は、ローマのストア派のエピクテトスやマルクス・アウレリウスの言説を彷彿とさせる。しかし、このように言われても、アウグスティヌスにとっては自分の如何ともしがたい意志の問題には、何の解決にもならない。古典ヘレニズム哲学の圏内からアウグスティヌスが離陸するのはこの「意志」そのものの考察による。

## †膨れ上がった転倒した意志

アウグスティヌスは「自分次第」のはずの「自分自身の意志」が、自分では思い通りにならない「意志の弱さ」をさらに省察して、

私は不義とは何かとたずねて、それが実体ではなく、むしろ最高の実体である神、あなたから背いて、最低のものの方へと転落し、内なる自己を投げ捨てて、外部に向かって膨れ上がっていく「転倒した意志」にほかならない。（『告白録』七・一六・二二）

という理解に至る。向上するのも、それから逸れるのも、また中心に立ち戻るのも、全て内なる意志の働きである。「外に向かうな、あなた自身の内に戻れ、そして、そのあなた自身を超えよ」という「内的超越」は知情意の総体としての自己の動態であることが明白となってくるのである。内的に高みの神である知恵を愛する至福を基本軸に、情意の問題としてこれから背いて、外なるものに「転倒して」そちらへと自らの意志で敢えて進んでいく無知の困難さ、人間の弱さへの眼差しがアウグスティヌスの特徴である。

そのように多かれ少なかれ意志が善を逸れて転倒することは何人も免れ得ない。彼によれば、

「すべて罪を犯す魂には、実に困難と無知という二つの罰がある……不本意にもさ迷い、肉のくびきの苦しみが抵抗し苦悶させるために情欲のわざを断ち切れないのは、神に造られた人間の本性ではなく、罰せられた人間の罪なのである」（『自由意志』三・一八・五二）という結論に至るのである。

しかし、彼も「無知と困難は、誕生した魂にとっての罪の罰ではなく、むしろ向上のすすめであり完成の始まりである」（『自由意志』三・二〇・五六）というような自力救済の道の主張を知らなかったわけではなかった。ここからペラギウス（三六〇頃〜四二〇頃）たちが自由意志による人間的完成を主張するように影響を受けたかも知れないことは皮肉なことである。

## 4　原罪・根源悪と人類の絆

### †意志の根

アウグスティヌスは、神の絶対的恩恵を主張したことで「恩恵博士」として、西方では、アンブロシウス、ヒエロニュムス、教皇グレゴリウス一世（在位五九〇〜六〇四）とともに四大教会博士の一人に位置づけられている。彼の「私は人間の意志の自由な選択の確保のために奮闘したが、神の恩恵が勝った」（『再考録』二・一）という言葉は、自由意志の優位を主張したペラギウスらの立場を否定して、あくまでも恩恵の絶対性を宣言するものである。その後も西方では、人間の自由意志かそれとも神の恩恵かという対立軸での論争が幾度も再燃し、「ペラギウス主義」かそれとも「アウグスティヌス主義」かという応酬になっていく。

しかし、アウグスティヌス自身においては、「内的超越」の基本線は生涯揺らぐことなく、それゆえいよいよもって、自己の意志の弱さ、その根源に光を当てる。

彼は「（悪を行う）意志そのものの原因」という問題に対し、意志が悪の原因であるが、しかるに、その原因として、「意志の根」そのものが何であるかを見つめる。

「あらゆる悪の根はむさぼりである」（第一テモテ書六・一〇）との言葉以上に真理を語ることができると思ってはならない……人が十分以上に欲するところに必ずむさぼりがある。この意味でのむさぼりは欲望であり、欲望は不正な意志である。それゆえ、不正な意志がすべての悪の原因である。（『自由意志』三・一七・四八）

このように、アウグスティヌスによって、現在の人間の状態の根源である根っこには「不正な意志」があり、これが悪の原因となっているとの指摘がなされている。「不正な」とは、それ自体が悪であるの何かを立てるのではなく、意志自らが、「むさぼり（より多く持つこと）」のように、「限度を越えて」発揮されるときの動態を言う。現実の人間はそのように常に余計な悪い方向へ膨れ上がり、転倒してしまうのである。またゆえ、内なる「心」に立ち返って、自ら慎む集中した方向に謙《へりくだ》る方向も見えてくるので、それは神からの恩恵の助力があってはじめて可能になるという極めて微妙な立ち位置を人間は生涯身をもって生きていくことになるのである。

## †根源悪

初めの人間アダムとエバが神の命令に自ら背いた最初の罪があり、その彼に根源を由来して、その後の人類全体に歴史的に及ぶ罪としての「原罪」を否定できない事実と考えるアウグスティヌスは、意志の根源のあり方に着目していた。

人間についての考察は、『創世記』第一章に定位すると、原初の似像性の回復として、「できるだけ神に似ること」を求める神化志向となるが、しかし、『創世記』第二〜三章のアダムとエバを祖とする人類の起源をめぐる問題を考慮に入れると、初めの人間たちが神の命令に自由な選択意志で背く不従順によって、自然を損なってしまったという事態を引き受けることとなる。無からの創造の原初ではこの問題は起こりえない。そこでは神の目から見て万物は「甚だ良かった」のである。生殖自体も「産めよ、増えよ、地に満ちよ」と祝福されたものであった。楽園の最初の男女の意志は妨げられることなく自然は損なわれることなく欲望とは無縁の穏やかな性生活が可能であった。しかし、神の命令への不従順という「堕罪」の結果、そのような従順な穏やかさは失われた。情欲のような制御しがたい傾向や習慣が人間の意志に巣食ってしまった、というのがアウグスティヌスの一貫した見立てである。

ちなみに、実践理性によって道徳法則を担う自由で叡智的な存在として人間を捉える近世の哲学者カントは、創造の秩序や時間的な始まりという意味での「始原」は問題としない。しかし、人間本性に根を張った性癖として巣食うラディカルな悪を「根源悪」と規定していた。彼の「根源」についての理解はアウグスティヌスに極めて近い。

## †人類の紐帯

アウグスティヌスはなぜ「原罪」を重視したのか。それは、彼が、人類が孤立した存在ではなくて、つながり合っている紐帯《ちゅうたい》・社会性をもっていることに注目したからである。

おのおのの人間は人類の一部であり、人間の本性は社会的なものであって、偉大な自然本性的な善とまた友愛の力を持っているので、そのために、神は人間が種族の類同性によるだけでなく、血縁の絆によってもその社会性において結び合わされるように、一人の人間からすべての人間を造ることを欲した。(『結婚の善』一・一)

根っこを同じにする同類として相憐れむお互い様という関係こそが原罪のイメージなのである。真似しなくてもいいような初めの人間の失敗を模倣してしまうというだけでなく、どうしてもそうしてしまう人間的な弱さが誰にでもある。それはキリスト者も免れない。

だからと言って、単に誰彼の個々の罪が決定されているというのではない。そうではなくて、原罪とは、総体として「罪の塊」としての人間性の核心に罪が根源から根ざしていて、全ての人類がその根から分岐(枝分かれ)し、葉を茂らせそれぞれの生として実を結んでいるという生命の伝播というイメージである。

## †生と性

厭《いと》わしいと同時に愛《いと》しいのが性。それは生命を慈しみ育むという成長への方向づけもあるが、同時に、自分勝手な支配と暴力という破壊的な死へ向かう方向も秘めている。これを単純に善と悪に二分することはできない。人類の初めのアダムとエバの物語が示すのは、誕生という契機を分かち合う人類の根源の姿であり、我々が、本当に思いを尽くし心を尽くして大切にすべき神の命令に自らの都合で——しかも蛇や伴侶のせいにするという言い逃れをしつつ——背いて、「自らが神のように自らを自らの善そのものであるように思い込んでしまった無知に起因する」ような「膨れ上がった意志」を持ち得る人間の原初の姿である。しかし、その人間に定位してこそ「内的超越」の先なる神を見出す「心」も身体も与えられているのである。

## †人類の歩み——神の国と地の国

そのような人類の市民としての国（共同体、キウィタス）のあり方として展開しているのがアウグスティヌスにとって社会的に存在する現実の人間であった。「二つの愛が二つの国を造った。神を軽蔑するに至る自己愛が地上的な国を造り、自分を軽蔑するに至る神への愛が天的な国を造ったのである」（『神の国』一四・二八）と指摘されるこの二つの国は、外に膨れ上がる高慢の意志と、内に集中して慎む謙遜の意志とが織りなす人間の歴史そのものである。ここにも「内的超越」の基本線とそれを生きる一人ひとりの「人間」が見据えられていることは言うまでもない。

## †おわりに——古代の黄昏

「自己・私」の発見者、「意志」の発見者、「原罪」の唱導者ともみなされるアウグスティヌスは、四三〇年八月二八日ヴァンダル族に包囲されたヒッポの町で七五歳の生涯を終えた。まもなく、西ローマ帝国は滅亡し（四七六年）、ラテン世界はもはや一つの帝国の下に一体化したローマ市民のものではなくなった。

最後のローマ人とも称されるボエティウス（四八〇頃〜五二五）は、アリウス派のキリスト教を奉じる東ゴート王国のテオドリック王の宮廷に仕える貴族であった。ポルフィリオスの『エイサゴーゲー（カテゴリー論注解）』やアリストテレスの論理学関係書の翻訳を著した彼は、人間の「人格」を表現することにもなる「ペルソナ」というラテン語を「理性的本性を持つ個別的な実体」と規定し定式化した。

アウグスティヌスの遺骨が安置されているイタリア・パヴィアにある教会の地下聖堂にボエティウスの墓があるのは象徴的である。こうして古代末期から中世ヨーロッパへと移行するのである。

### さらに詳しく知るための参考文献

上智大学中世思想研究所編訳・監修『中世思想原典集成　精選2　ラテン教父の系譜』（平凡社ライブラリー、二〇一九年）……教父の原典の翻訳シリーズ『中世思想原典集成』からアウグスティヌスの時代と古典古代の継承に焦点を当てて再編集した文庫版。佐藤直子によるラテン教父全体の歴史と「自由意志・原罪・恩恵」をめぐる西方的神学の確立と問題領域ついての行き届いた解説が付されている。

出村和彦『アウグスティヌス――「心」の哲学者』（岩波新書、二〇一七年）……古代末期ローマ帝国で「心」に定位して知恵への愛のキリスト者の道を歩んだアウグスティヌスの生涯をコンパクトに描いた評伝。巻末に『アウグスティヌス著作集』始めさらにアウグスティヌスを学ぶ手引きとなる親切な文献案内を付す。

宮本久雄編著『愛と相生　エロース・アガペー・アモル』（教友社、二〇一八年）……アウグスティヌスが愛や美そして女性に関してどのような考察を行ったか、古典学や教父研究の立場からの解明を目指した最新の幅広い論考を含む。

リチャード・J・バーンスタイン『根源悪の系譜　カントからアーレントまで』（阿部ふく子・後藤正英・斎藤直樹・菅原潤・田口茂訳、法政大学出版局、二〇一三年）……原罪論そのものは考察の範囲外であるが、根源悪という問題がその後近代から現代どのように取り組まれているかを解説。アウグスティヌスの洞察が意外な仕方で共鳴していることを知る。

ハンス・ヨナス『グノーシスと古代末期の精神　第一部神話論的グノーシス』『同　第二部神話論から神秘主義哲学へ』（大貫隆訳、ぷねうま舎、二〇一五年）……グノーシス主義の本格的な研究書であるが、古代末期の精神の世界的広がりを理解をするには欠かすことのできない書。なお、マニ教の神話については、さらに大貫隆『グノーシスの神話』（講談社学術文庫、二〇一四年）を参照せよ。

## コラム3 ジョゼフ・ニーダムの見いだしたこと

塚原東吾

　そもそも中国に科学はあったのか、ということからして問題だった。科学とはギリシアに起源を持つ経験的で合理的・理性的な知識体系であり、ルネサンスでヨーロッパに復活したものである。そのようにヨーロッパが育んだ知が科学であって、それはコペルニクスやケプラー、ガリレオらによる一七世紀科学革命によって確立された。デカルトやベーコンが近代ヨーロッパ科学の哲学を担った。これが科学をめぐるヨーロッパ中心主義的な見方である。

　科学史についてこの考え方を根本から覆したのがジョゼフ・ニーダム（一九〇〇〜一九九五）である。中国では古代から、天文や地理・自然史などの精密な観察と記録がなされ、精度の高い暦や地誌などが作成されたこと、羅針盤・火薬・紙・印刷という四大発明が中国起源であること、そして一五世紀までは社会・経済・統治システムなどあらゆる側面で中国が世界を凌駕していたことなど、ニーダムの「発見」は枚挙にいとまがない。彼の『中国の科学と文明』シリーズは、ケンブリッジ大学出版会から刊行されている。ニーダムは中国の科学史を記述することで人類の科学史を記述したとも言われている。

　ではなぜ、中国に近代科学がうまれなかったのだろう？　この疑問は「ニーダム・クエスチョン」とされている。社会経済的、政治体制的な側面からこれに答え、ヨーロッパの商業資本の展開や、航海術や軍事技術の発展にその淵源を探ることも可能だ。同時にニーダムは科学自体に内包する問題として、ヨーロッパの機械論的世界像（とデカルト的な主客の分断による自然と哲学の切り離し）に対して、中国的な有機体的で還元主義的・全体論的な世界像（および道教的な神秘主義による直感的・共感的な自然の理解）を対置している。

ニーダムが「発見」したのは、「中国」だけではなかった。ヨーロッパの知の根幹たる「科学」概念をラディカルに転覆させる事で、ヨーロッパ中心主義を揺るがした。つまりニーダムは、中国科学史を通じて近代ヨーロッパを相対化したのである。彼はヨーロッパ中心主義に対抗するチャンピオンであった。

いまや生命操作やビッグデータ、人工知能の開発が物語るように、神になろうとしているかにみえる人類の挑戦は留まるところを知らない。だが地球温暖化問題や放射性物質・マイクロプラスチックなどによる環境汚染の深刻化を見ると、人類はすでに科学技術を制御できなくなっているという懸念が拭いきれない。これは「ヨーロッパ近代科学」の行き着いたところなのだろうか？　人類の来し方を思い、行く末を憂うとき、ニーダムから学べることはまだ多くある。

# あとがき

「世界哲学史」全八巻の第2巻にあたる本書は、古代哲学の後半部を扱った。二〇〇〇年あまり前の時代を振り返ることで、人類の哲学の歴史に新たな視野が開けたのではないかと感じる。

編集にあたり改めて気づいたのは、この時代までは「世界」が文字通り多元的で、各地域が自立的に魅力的な思想運動を展開していること、それらが並行しながら各伝統を形づくり、学問制度をつうじて人類の文明の礎を築いたことである。西洋文明が他を圧倒していく近代、ルネサンス以後の哲学や科学のあり方とは大きく異なる地図が目の前に広がっている。インドと中国の間で、西アジアや北アフリカとヨーロッパの間で、哲学や宗教の活発な交流が興り、そこで文字通りの「世界」が形成されていく。そのダイナミズムを多様な可能性のままに見直し活かすことが、現代の私たちの課題であろう。他方、ここではイスラームというもう一人の主役、現代世界を動かす軸は未登場である。さらに、日本はこの時代の末期、六世紀半ばに朝鮮半島から仏教を取り入れ、世界哲学史に初めて姿を見せる（巻末年表参照）。

ここに広がる視野は、従来の個別思想を並べてみただけの俯瞰図ではない。ギリシアで成立した哲学がローマ世界に入り、東方ギリシア語圏と西方ラテン語圏に分かれて行く様、キリスト教がマニ教やゾロアスター教などと競合しながら正統と異端を分けていく様、そして大乗仏教と儒教がインドと中国という文明を形づくる様などが、生き生きと眼前に広がる。そのスペクタクルを、私も読者の皆さんと一緒に楽しみたい。

本シリーズの刊行にあたり宣伝文に、以前から様々な場面で助言をいただいている敬愛する鷲田清一氏と、広い視野で学問と社会をつなげる『哲学と宗教全史』（ダイヤモンド社）の著作もある友人の出口治明氏のお二人に応援の言葉をいただいた。お礼を申し上げたい。この試みが、これまで哲学を疎遠に感じてきた多くの方々にも新たな興味を抱いていただくきっかけになれば幸いである。創業八〇周年の記念として強力に企画を進めてくださった筑摩書房と、担当編集者の松田健氏に、シリーズ半ばながら感謝申し上げたい。

二〇一九年一二月

第2巻編者　納富信留

## 編・執筆者紹介

**伊藤邦武**（いとう・くにたけ）【編者】
一九四九年生まれ。龍谷大学文学部教授、京都大学名誉教授。京都大学大学院文学研究科博士課程単位取得退学。スタンフォード大学大学院哲学科修士課程修了。専門は分析哲学・アメリカ哲学。著書『プラグマティズム入門』（ちくま新書）、『宇宙はなぜ哲学の問題になるのか』（ちくまプリマー新書）、『パースのプラグマティズム』（勁草書房）、『ジェイムズの多元的宇宙論』（岩波書店）、『物語　哲学の歴史』（中公新書）など多数。

**山内志朗**（やまうち・しろう）【編者】
一九五七年生まれ。慶應義塾大学文学部教授。東京大学大学院人文科学研究科博士課程単位取得退学。専門は西洋中世哲学、倫理学。著書『普遍論争』（平凡社ライブラリー）、『天使の記号学』（岩波書店）、『「誤読」の哲学』（青土社）、『小さな倫理学入門』『感じるスコラ哲学』（以上、慶應義塾大学出版会）、『湯殿山の哲学』（ぷねうま舎）など。

**中島隆博**（なかじま・たかひろ）【編者・第6章】
一九六四年生まれ。東京大学東洋文化研究所教授。東京大学大学院人文科学研究科博士課程中途退学。専門は中国哲学、比較思想史。著書『悪の哲学——中国哲学の想像力』（筑摩選書）、『荘子——鶏となって時を告げよ』（岩波書店）、『思想としての言語』（岩波現代全書）、『残響の中国哲学——言語と政治』『共生のプラクシス——国家と宗教』（以上、東京大学出版会）など。

**納富信留**（のうとみ・のぶる）【編者・はじめに・第1章・あとがき】
一九六五年生まれ。東京大学大学院人文社会系研究科教授。東京大学大学院人文科学研究科修士課程修了。ケンブリッジ大学大学院古典学部博士号取得。専門は西洋古代哲学。著書『ソフィストとは誰か?』『哲学の誕生——ソクラテスとは何者か』（以上、ちくま学芸文庫）、『プラトンとの哲学——対話篇をよむ』（岩波新書）など。

＊

**近藤智彦**（こんどう・ともひこ）【第2章】
一九七六年生まれ。北海道大学大学院文学研究院准教授。東京大学大学院人文社会系研究科博士課程修了。専門は古代ギリシア・ローマ哲学、西洋古典学。著書『西洋哲学史Ⅱ――「知」の変貌・「信」の階梯』（共著、講談社選書メチエ）、『『英雄伝』の挑戦――新たなプルタルコス像に迫る』（共著、京都大学学術出版会）、『愛・性・家族の哲学①愛――結婚は愛のあかし?』（共著、ナカニシヤ出版）など。

**戸田　聡**（とだ・さとし）【第3章】
一九六六年生まれ。北海道大学大学院文学研究院准教授。オランダ・ライデン大学より文学博士号を授与される。専門は古代キリスト教史、東方キリスト教文学。著書『キリスト教修道制の成立』（創文社）、『砂漠に引きこもった人々――キリスト教聖人伝選集』（編訳、教文館）。訳書H−G・ベック『ビザンツ世界論――ビザンツの千年』（知泉書館）。

**下田正弘**（しもだ・まさひろ）【第4章】
一九五七年生まれ。東京大学大学院人文社会系研究科教授。東京大学大学院人文科学研究科博士課程修了。博士（文学・東京大学）。専門はインド哲学、仏教学。著書『涅槃経の研究――大乗経典の研究方法試論』（春秋社）、訳書に『蔵文和訳　大乗涅槃経Ⅰ』（山喜房仏書林）。編著に『新アジア仏教史』全15巻（佼成出版社）、『シリーズ大乗仏教』全10巻（春秋社）、『仏教の事典』（朝倉書店）ほか多数。

**渡邉義浩**（わたなべ・よしひろ）【第5章】
一九六二年生まれ。早稲田大学理事・文学学術院教授。大隈記念早稲田佐賀学園理事長。筑波大学大学院博士課程歴史・人類学研究科修了。専門は「古典中国」。著書『漢帝国』『三国志』『魏志倭人伝の謎を解く』（以上、中公新書）、『はじめての三国志』（ちくまプリマー新書）、『始皇帝 中華統一の思想』（集英社新書）など多数。

**青木　健**（あおき・たけし）【第7章】
一九七二年生まれ。静岡文化芸術大学文化・芸術研究センター教授。東京大学文学部イスラム学科卒業。東京大学大学院人文社会系研究科博士課程修了。博士（文学）。著書『ゾロアスター教の興亡』『ゾロアスター教ズルヴァーン主義研究』『ゾロアスター教史』（以上、刀水書房）、『ゾロアスター教』『アーリア人』『マニ教』『古代オリエントの宗教』（以上、講談社）など。

**西村洋平**（にしむら・ようへい）【第8章】
一九八一年生まれ。兵庫県立大学環境人間学部准教授。慶應義塾大学大学院文学研究科博士号取得。専門は西洋古代・中世の新プラトン主義。論文「プロクロス」（堀江聡と共同執筆、『新プラトン主義を学ぶ人のために』世界思想社）、「魂の一性をめぐるプロティノスの思想」（『古代哲学研究』古代哲学会）、「古代末期の正義論――ストア派とプラトン主義の場合」（『西洋中世の正義論』晃洋書房）など。

**土橋茂樹**（つちはし・しげき）【第9章】
一九五三年生まれ。中央大学文学部教授。上智大学大学院哲学研究科博士後期課程単位取得退学。専門は西洋古代・中世哲学、教父学。著書『教父と哲学――ギリシア教父哲学論集』『善く生きることの地平――プラトン・アリストテレス哲学論集』（以上、知泉書館）、『存在論の再検討』（編著、月曜社）など。

**出村和彦**（でむら・かずひこ）【第10章】
一九五六年生まれ。岡山大学大学院ヘルスシステム統合科学研究科教授。東京大学文学部哲学科卒業。東京都立大学大学院人文科学研究科博士課程単位取得退学。専門は古代哲学、キリスト教思想史。著書『アウグスティヌス――「心」の哲学者』（岩波新書）。訳書P・ブラウン『アウグスティヌス伝』上・下（教文館）など。

**出村みや子**（でむら・みやこ）【コラム1】
一九五五年生まれ。東北学院大学文学部総合人文学科教授。東京大学大学院人文社会系研究科博士課程修了。博士（文学）。専門は古代キリスト教思想。著書『聖書解釈者オリゲネスとアレクサンドリア文献学』（知泉書館）、『ヨーロピアン・グローバリゼーションの歴史的位相』（共著、勉誠出版）、『総説　キリスト教史Ⅰ　原始・古代・中世篇』（共著、日本キリスト教団出版局）。訳書にオリゲネス『キリスト教教父著作集　ケルソス駁論』Ⅰ・Ⅱ（教文館）など。

**中西恭子**（なかにし・きょうこ）【コラム2】
一九七一年生まれ。東京大学大学院人文社会系研究科研究員、津田塾大学ほか非常勤講師。東京大学大学院人文社会研究科修士課程および博士課程修了、博士（文学）。専門は宗教学宗教史学（西洋古代宗教および初期キリスト教の歴史とその表象の受容史）。詩と文藝評論を手掛ける。著書『ユリアヌスの信仰世界――万華鏡のなかの哲人皇帝』（慶應義塾大学出版会）、『ルネサンス・バロックのブックガイド』（共著、工作舎）など。詩集に『The Illuminated Park 閃光の庭』（なかにしけふこ名義、書肆山田）。

**塚原東吾**（つかはら・とうご）【コラム3】
一九六一年生まれ。神戸大学大学院国際文化学研究科教授。東京学芸大学大学院修士課程修了。ライデン大学医学部博士号取得。専門は科学史、科学哲学、STS。共編著に『帝国日本の科学思想史』（勁草書房）、『科学技術をめぐる抗争』（岩波書店）、『科学機器の歴史――望遠鏡と顕微鏡』（日本評論社）など。

# 人名索引

## あ行

## か行

## さ行

## た行

## な行



## は行

## ま行

## や行



## ら行



## わ行

# 年表

| | ヨーロッパ | 西アジア・北アフリカ |
|---|---|---|
| 前100 | **前106　キケロ、生まれる〔-前43〕** | |
| 前90 | **前99　ルクレティウス、生まれる〔-前55頃〕** | |
| 前60 | 前60　第1回三頭政治成立 | 前64　セレウコス朝シリア王国滅亡。ローマによりシリアが領有される |
| 前50 | | 前53　カルラエの戦い。パルティア、クラッススの遠征軍を撃破 |
| 前30 | | 前37　ヘロデ、エルサレム占領。ヘロデ王のユダヤ支配始まる〔-前4〕<br>前30　クレオパトラ自殺、プトレマイオス朝滅亡 |
| 前20 | 前27　オクタウィアヌス、アウグストゥスの尊称を受ける。ローマ帝政、開始 | **前25頃　フィロン、生まれる〔-50頃〕** |
| 前1 | **前4/後1　セネカ、生まれる〔-65〕** | **前4頃　イエス・キリスト誕生〔-30頃〕** |
| 1 | | |
| 10 | | |
| 20 | **23頃　大プリニウス、生まれる〔-79頃〕** | **34頃　パウロ（サウロ）が回心してキリスト教徒となる** |
| 50 | 54　ネロ即位〔-68〕<br>**55頃　エピクテトス、生まれる〔-135頃〕** | |

太字は哲学関連事項

| インド | 中国 | |
|---|---|---|
| 前1世紀　南インドにサータヴァーハナ朝成立〔-3世紀中頃〕 | 前141　武帝、即位〔-前87〕 | 前100 |
| | **前90頃　司馬遷『史記』成立** | 前90 |
| | | 前60 |
| | | 前50 |
| | | 前30 |
| | | 前20 |
| **この頃、ヒンドゥー教が成立** | **前2　仏教が中国に伝来の記事があるも、実際は1世紀頃** | 前1 |
| | 8　王莽、新を建国〔-23〕 | 1 |
| | 18　赤眉の乱起こる〔-27〕 | 10 |
| | 25　後漢、成立〔-220〕。光武帝、即位〔-57〕 | 20 |
| 1世紀頃、クシャーナ朝成立〔-4世紀〕 | | 50 |

| | ヨーロッパ | 西アジア・北アフリカ |
|---|---|---|
| 70 | **71 ウェスパシアヌス、ローマから哲学者を追放**<br>79 ヴェスヴィオ山の噴火によりポンペイ埋没 | |
| 90 | **94 エピクテトスら哲学者、イタリアから追放される**<br>96 ネルウァ即位。五賢帝時代、始まる | |
| 100 | | |
| 110 | 117 ローマ帝国、最大版図に | |
| 120 | **129 頃 ガレノス、生まれる〔-200 頃〕** | |
| 130 | | |
| 140 | | |
| 150 | | **150 頃 プトレマイオス、アレクサンドリアで活躍。アレクサンドリアのクレメンス、生まれる〔-215 頃〕** |
| 160 | **161 マルクス・アウレリウス・アントニヌス即位〔-180〕** | |
| 180 | | **185 頃 オリゲネス、アレクサンドリアに生まれる〔-251 頃〕** |
| 200 | | **205 プロティノス、エジプトに生まれる〔-270〕** |

| インド | 中国 | |
|---|---|---|
| | 75　章帝、即位〔-88〕<br>**79　白虎観会議。班固が『白虎通』にまとめる** | 70 |
| | **92　班固、獄死。『漢書』はその後妹の班昭と馬続により完成**<br>97　甘英をローマ帝国（大秦）に派遣〔到達はせず〕 | 90 |
| | **100頃　許慎『説文解字』完成**<br>**105　蔡倫、紙を作り献上する** | 100 |
| | | 110 |
| | **127　鄭玄、生まれる〔-200〕** | 120 |
| 130頃　クシャーナ朝、カニシカ王即位〔-170頃〕、最盛期へ。 | | 130 |
| | 146　桓帝、即位〔-168〕 | 140 |
| **150頃　ナーガルージュナ、生まれる〔-250頃〕**<br>**2世紀頃　大乗仏教の成立。『小品般若経』の成立。『般若経』『法華経』等、初期大乗経典の成立** | | 150 |
| | | 160 |
| | | 180 |
| | | 200 |

| | ヨーロッパ | 西アジア・北アフリカ |
|---|---|---|
| 210 | | **216　マニ教開祖、マーニー・ハイイェー、生まれる〔-277〕** |
| 220 | | 224　パルティアを滅ぼし、サーサーン朝ペルシア建国〔-651〕 |
| 230 | 235　軍人皇帝の時代〔-284〕 | |
| 240 | | 241頃　シャープール1世、即位〔-272頃〕<br>**245頃　イアンブリコス、シリアに生まれる〔-325頃〕** |
| 250 | | |
| 280 | 284　ディオクレティアヌス即位〔-305〕 | |
| 300 | 303　キリスト教徒大迫害<br>306　コンスタンティヌス即位〔-337〕 | |
| 310 | **313　ミラノ勅令でキリスト教公認** | |
| 320 | | **325　第1ニカイア公会議、アタナシウス派が正統とされ、アリウス派が追放される** |
| 330 | **331頃　ユリアヌス、生まれる〔-363〕**<br>**337　アンブロシウス、生まれる〔-397〕** | **330頃　カイサレイアのバシレイオス、生まれる〔-379〕**<br>**335　ニュッサのグレゴリオス、生まれる〔-394〕** |
| 350 | | **354　アウグスティヌス、北アフリカに生まれる〔-430〕** |

| インド | 中国 | |
|---|---|---|
| | | 210 |
| | 222　魏・呉・蜀の三国鼎立<br>**223　「竹林の七賢」の一人、嵆康、生まれる〔-262〕**<br>**226　王弼、生まれる〔-249〕** | 220 |
| | **232　仏図澄、生まれる〔-348〕** | 230 |
| | | 240 |
| **3世紀頃　『涅槃経』『解深密経』等、中期大乗経典が成立する** | **252頃　郭象、生まれる〔-312〕** | 250 |
| | 280　西晋、呉を滅ぼし中国統一 | 280 |
| | 304　華北で五胡十六国成立〔-439〕 | 300 |
| | **312　道安、生まれる〔-385〕**<br>317　江南で東晋が成立〔-420〕 | 310 |
| 320頃　チャンドラグプタ1世によりグプタ朝成立〔-550頃〕 | | 320 |
| | **334　慧遠、生まれる〔-416〕** | 330 |
| **4世紀頃　無著（アサンガ、『摂大乗論』の著者）が活躍する** | | 350 |

| | ヨーロッパ | 西アジア・北アフリカ |
|---|---|---|
| 370 | | |
| 380 | | |
| 390 | 395 テオドシウス没。帝国は東西に分裂 | |
| 400 | | 405頃 ヒエロニュムス、聖書のラテン語訳を完成させる |
| 410 | 412 プロクロス、生まれる〔-485頃〕 | 415 新プラトン主義哲学者ヒュパティアが、キリスト教徒によって殺害 |
| 430 | | 431 エフェソス公会議、ネストリウス派が異端と宣告される |
| 440 | | |
| 450 | | 451 カルケドン公会議 |
| 460 | 462頃 ダマスキオス（アカデメイア最後の学頭）、生まれる〔-538頃〕 | |
| 470 | 476 西ローマ帝国滅亡 | |
| 480 | 481 クローヴィス、フランク王となる | |

| インド | 中国 | |
|---|---|---|
| 376頃　チャンドラグプタ2世、即位〔-414〕領土を拡大 | 372　高句麗に仏教が伝来する | 370 |
| | 384　百済に仏教が伝来する | 380 |
| | | 390 |
| 5世紀頃　ナーランダー僧院建立。世親（ヴァスバンドゥ、『唯識二十論』『唯識三十頌』の著者）、ブッダゴーサ（『パーリ三蔵註釈』『清浄道論』の著者）が活躍する<br>405頃　法顕ら中インドに到達 | 401　鳩摩羅什、長安に到着。膨大な訳経作業を始める。 | 400 |
| | 412　法顕、インドより帰る | 410 |
| | 439　北魏の太武帝、華北統一。南北朝時代始まる〔-589〕 | 430 |
| | 442　寇謙之により体系化された道教（新天師道）が北魏の国教に | 440 |
| | 450頃　范縝、生まれる〔-510頃〕 | 450 |
| | | 460 |
| | | 470 |
| | | 480 |

| | ヨーロッパ | 西アジア・北アフリカ |
|---|---|---|
| 500 | **500頃　偽ディオニシオス文書が成立** | **6世紀頃、『アベスターグ』が編纂される** |
| 510 | 511　クローヴィス没、フランク王国、4つに分割 | |
| 520 | 527　ユスティニアヌス一世、即位〔-565〕<br>**529　ユスティニアヌス帝により、アカデメイアなど異教徒の学校閉鎖** | |
| 530 | | 531　ホスロー1世、即位〔-579〕。サーサーン朝、全盛期に。**アカデメイアを離れた哲学者たちが、一時逗留**<br>533　ユスティニアヌス、北アフリカのヴァンダル王国を征服 |
| 570 | | **570頃　ムハンマド誕生〔-632〕** |
| 580 | | |
| 590 | 590　教皇グレゴリウス1世即位〔-604〕 | |
| 600 | | |

| インド | 中国 | |
|---|---|---|
| 6世紀頃　安慧（スティラマティ、『唯識三十頌釈』『中辺分別論釈』の著者）、清弁（バーヴィヴェーカ、『般若灯論釈』の著者）が活躍する | | 500 |
| | 518　『弘明集』が編纂される | 510 |
| | | 520 |
| 530　護法（ダルマパーラ、『成唯識論』の著者）、生まれる〔-561〕 | 538（または553）　百済から日本に仏教が伝来する | 530 |
| | | 570 |
| | 581　北周倒れ、隋が成立〔-618〕 | 580 |
| | | 590 |
| 606　ヴァルダナ朝成立〔-648頃〕<br>7世紀頃　月称（チャンドラキールティ、『中論註プラサンナパダー』の著者）が活躍する | 602　玄奘、生まれる〔-664〕 | 600 |

ちくま新書
1461

# 世界哲学史《せかいてつがくし》2
## ——古代《こだい》II 世界哲学《せかいてつがく》の成立《せいりつ》と展開《てんかい》

二〇二〇年二月一〇日 第一刷発行
二〇二〇年三月二五日 第三刷発行

編者 伊藤邦武(いとう・くにたけ)
山内志朗(やまうち・しろう)
中島隆博(なかじま・たかひろ)
納富信留(のうとみ・のぶる)

発行者 喜入冬子
発行所 株式会社 筑摩書房
東京都台東区蔵前二-五-三 郵便番号一一一-八七五五
電話番号〇三-五六八七-二六〇一(代表)
装幀者 間村俊一
印刷・製本 株式会社 精興社



Printed in Japan
ISBN978-4-480-07292-4 C0210

## ちくま新書

# ちくま新書

1098 古代インドの思想 ――自然・文明・宗教　山下博司
インダス文明の謎とヒンドゥー教の萌芽。アーリヤ人侵入とヴェーダの神々。ウパニシャッドから仏教・ジャイナ教へ……。多様性の国の源流を、古代世界に探る。

1285 イスラーム思想を読みとく　松山洋平
「過激派」と「穏健派」はどこが違うのか？　テロに警鐘を鳴らすのでも、平和な宗教として擁護するのでもない、イスラームの対立構造を浮き彫りにする一冊。

1079 入門　老荘思想　湯浅邦弘
俗世の常識や価値観から我々を解き放とうとする「老子」と「荘子」の思想。新発見の資料を踏まえてその教えをじっくり読み、謎に包まれた思想をいま解き明かす。

990 入門　朱子学と陽明学　小倉紀蔵
儒教を哲学化した朱子学と、それを継承しつつ克服しようとした陽明学。東アジアの思想空間を今も規定するその世界観の真実に迫る、全く新しいタイプの入門概説書。

1292 朝鮮思想全史　小倉紀蔵
なぜ朝鮮半島では思想が炎のように燃え上がるのか。古代から現代韓国・北朝鮮まで、さまざまに展開されてきた思想を霊性的視点で俯瞰する。初めての本格的通史。

1099 日本思想全史　清水正之
外来の宗教や哲学を受け入れ続けてきた日本人。その根底に流れる思想とは何か。古代から現代まで、この国のものの考え方のすべてがわかる、初めての本格的通史。

1343 日本思想史の名著30　苅部直
古事記から日本国憲法、丸山眞男『忠誠と反逆』まで、日本思想史上の代表的名著30冊を選りすぐり徹底解説。人間や社会をめぐる、この国の思考を明らかにする。